KB198214

사랑,
한번 더 시작합니다

사랑,
한번 더 시작합니다

초판 2쇄 발행 2020년 9월 15일

지은이 김미경
펴낸이 김 숙
펴낸곳 글풍경
주소 서울시 서초구 방배천로 2길 39-16
전화 02)525-0035
팩스 02)525-3036
대표메일 sletter001@naver.com
저자메일 mkkim5602@naver.com
등록번호 제 2013—000153호

기획 김 숙
교열 김화연
본문편집 맹경화
표지디자인 김신애
표지 손글씨 김미경

ISBN 979-11-87735-04-5 13330

긍정의 DNA를 운명에 새기다

사랑, 한번 더 시작합니다

지은이 김 미 경

코로나 19 사투의 현장에서 집단지성의 승리로 이끈
의료경영 전략가 김천의료원 김미경 의료원장 에세이

글통경

프롤로그

모든 상처를 보듬고 낫게 하는 처방이 있다면 그것은 인간이 신에게 받은 선물 '사랑'이 아닐까. 어떤 상황에 놓였어도 누군가 나를 사랑한다는 사실만 안다면 인간은 어떤 어려운 역경 속에서도 살아남을 수 있는 의지를 가질 수 있다고 생각한다. 마지막 희망을 버릴 수 없는 절대적인 이유는 아직도 사랑하는 사람이 나와 함께 숨 쉬고 있기 때문이다.

고통 없이는 성숙함이 없듯이 죽음과도 같은 힘든 시간이 내 인생의 절반이 되었어도 그 어려움과 부딪히면서 견뎌온 경험들이 쌓여서 나의 삶으로 고스란히 남겨졌다. 영원한 것은 이 세상에 아무것도 없기에 오늘 하루를 살면서도 마지막 날인 것처럼 최선을 다해 즐겁게 보내려고 노력했고 세상을 향한 호기심 가득했던 시간들이 쌓여서 나의 관점에서는 특별한 삶을 살았다.

지나온 경험으로 보았을 때 삶은 한꺼번에 다 가르쳐 주지 않았다. 하나를 배우고 하나를 느끼고 나면 다음이 펼쳐진다는 것을 알게 했다. 인생에서 위기는 위험과 기회가 함께 포함되어 있다. 위기가 상실을 의미한다면 기회는 또 다른 것을 깨닫게 되는 새로운 문이 열리는 것이라 생각한다. 그래서 실패라는 좌절은 끝이 아니라 새로운 시작이 되기도 하고 주어진 시간을 망설이지 않고 앞으로 다가가다 보면 두려움보다는 새로운 삶이 더 많다는 것을 알게 된다.

난 그동안 힘들고 어려운 일도 거뜬히 해내는 사람으로 살아왔다. 인생은 짧고 우린 모두 잠시 머물다 갈 뿐이니 지금 이 순간에도 인생의 참 의미를 찾으며 단 한 순간도 허투루 살아 본 적이 없긴 하다. 그럼에도 불구하고 요즘 코로나19로 인해 내가 하는 일이 세상 사람들의 관심을 갖게 되니 낯설기만 하다. 나의 하루가 낱낱이 들어나는 삶, 조용히 살고 싶었던 삶에 많은 사람들의 관심이 쏟아지면서 세상에 비치는 나에 대해 새삼 생각해 보게 되었다.

과연 난 사람들을 행복하게 해주고 싶다는 마음을 실천하고 있을까, 이 시대를 살아가는 한 사람으로 각자가 소중하게 지켜온 삶을 나누어 보는 시간이 필요한 것은 아닐까, 우리의 일상이 얼마나 소중하고 우리가 지켜온 시간들이 누군가에게 얼마나 많은 사랑으로 남았는지를 남겨야 하는 것이 아닐까...

어떤 사람으로 남고 싶었는지를 되돌아보게 하는 시간 속에는 내가 지금 받고 있는 관심 외에 우리 의료원 식구들이 보내 온 손편지가 있었다. 코로나19와의 전쟁에서 최소한 우리 경북 김천에서 만큼은 승리로 이끈 자랑스러운 김천의료원 식구들, 난 그들의 수고를 격려했을 뿐인데 부임한 후 몇 년 동안 내게 보낸 수많은 감동의 손편지가 내 서랍 속에 고이 간직해져 있다는 사실을 잠시 잊고 있었다.

색색의 카드에 차곡차곡 쌓여진 감동을 놓칠 새라 매일 매일 카드 주인에게 돌아갈 답장을 써놓았던 것이 컴퓨터 안에서 잠든 채 부치지 않은 편지가 되어 있는 것을 기억하니 마음이 급해졌다. 쌍방향 소통을 지향하는 내가 그들의 편지는 오롯이 나만의 것이 아니라는 생각이 들었기 때문이다.

어떤 이는 내게 신뢰를 보내고 어떤 이는 무거운 짐을 지게하며 또 어떤 이는 내게 힘을 불어넣기도 한 그 따뜻한 가슴에 나 또한 마음을 건네야 했다. 아니 어쩌면 이 편지라는 메신저를 통해 누구는 사랑을 주고 누군가는 사랑을 받는 이 고귀한 선물을 풀어헤쳐 자랑하고 싶은 것인지도 모르겠다.

치열한 현대를 살아가면서 누구와도 어떤 경쟁을 해본 기억이 없다. 아무도 잘 가지 않는 조용한 길을 선택했기 때문이다. 아무도 가지 않는 길, 그러나 누군가는 가야 했던 길, 그렇게 선택한 길은 다른 사람들의 기대가 그리 크지 않기에 천천히 걸으며 느긋하게 즐기면서 일할 수 있었다.

그것은 행운이었다. 원치 않은 길이라 터부시 하던 자갈밭을 닦아 길을 내고, 그 위에 지역민의 신뢰와 의료인으로서의 자긍심을 갖게 하는 의료 공동체 김천의료원을 우뚝 세웠다. 그 중심에는 내 인생의 철학과 손편지를 보내 온 사랑하는 동료들이 있었다. 나를 되돌아보자 생각나는 모든 것들에 감사해지는 순간이다.

나의 일과 가족, 지금껏 관계했던 모든 사람들과 더불어 책과 음악, 여행과 미술은 나라는 우주 속에 각각의 몫으로 자리하고 있다. 이제 그 옆자리에 화답이자 다짐이고 약속인, 내가 걸어왔던 길을 되돌아보게 한 이정표 김천의료원 아름다운 사람들의 이야기도 앉히고자 한다. 내 인생 여정에 한 자락으로 남을...

8월 늦은 여름밤

김 미 경

목 차

Ⅰ. 산다는 것은

II. 내가 사랑하는 것들

III. 아무도 가지 않는 길

I.
산다는 것은

삶의 의미를 찾던 날 방황은 끝이 나고

나에게 주어진 어떤 어려움이나 고통도 지루함도 회피하지 않으면서 어떤 역할이라도 흔쾌히 잘 할 수 있었던 것은 분명 행운이다. 무엇이 나를 살게 했는지 답을 찾아서 세상을 헤매었고 내 나름 나의 방식대로 삶을 살아가기로 했다. 누구보다도 진지하게 삶을 받아들이고 겸허하게 살아야 한다고 생각했었고 그렇게 살 수 있었던 것은 주어진 경험이 나름 많았기 때문이었을 것이다.

의사가 갈 수 있는 많은 길이 있었지만 난 의과대학을 졸업하고 공직을 선택했다. 처음에는 사람들이 열악한 환경, 박봉이라면서 잘못된 선택이라고 했고 나 역시 그런 생각을 하지 않았던 게 아니다. 그러나 하루하루를 보내면서 나름의 방식대로 나에게 적합한 직업으로 받아들이면서 더는 갈등하지 않게 되었고 시간과 자유가 더 많은 곳을 선택했다는 여유로운 생각으로 바뀌게 되었다.

겉보기에 화려한 직업보다 자신이 행복해질 수 있는, 의미 있는 일을 갖고 싶었다. 보이지 않는 것을 볼 줄 아는 눈을 가질 수 있었던 나, 그런 노력들이 나의 삶을 훨씬 더 풍부하게 만들었고 그 길을 살아 온 것은 대단한 행운이었다. 돈에 나의 시간을 파는 것이 아니라 돈으로 나의 시간을 살 수 있었다고 생각하니까 말이다.

사람들은 보이는 겉모습만 보고 판단하기를 좋아한다. 어느 누구든 빙산의 일각처럼 아주 일부만 드러난 누군가의 삶에 대해 평가하는 것은 무서운 일이다. 돈을 벌기 위해 시간을 많이 쓰기보다, 하고 싶은 것을 하고 더 알기 위해 돈을 쓰고 시간을 쓸 수 있었으니 얼마나 감사한 일인가!

어떻게 살아야 행복한 삶이 되는 걸까? 그 어떤 문제보다도 깊이 생각해봐야 하는 문제이다. 앞만 보고 살다 보니 어느 순간 어디로 가고 있는지에 대한 질문이 가슴으로부터 들려왔다. 앞으로 간다는 느낌보다 정체되어 가고 있다는 느낌이 들 때 문득 방향성에 대한 질문이 들려왔다.

나는 지금 어디로 가고 있는 것일까? 아무도 지우지 않는 짐을 스스로 지고 가는 자신의 모습을 발견하고 무거움의 정체를 알아야만 했다. 순간순간 떠오르는 답답한 가슴을 안고 살아가는 기분은 일상을 힘들게 만들었다. 그럴 때마다 길을 나섰고 여행은 나에게 혼자만의 많은 시간을 허락해 주었다. 포기하지 않으면 새로운 길이 보이고 그 길을 나의 길로 만들어 갔다.

인간이기 때문에 의미를 찾아 살아온 시간이다. 인간은 어떤 생각으로 인생을 살아가는 것일까? 무엇이 우리를 살아가게 하는 것일까? 수많은 책을 들여다보면서 타인들의 삶을 보았다. 어느 날 서점 한 구석에서 빅터 프랑클 『죽음의 수용소』를 만났다. 아우슈비츠에서 살아난 의사가 쓴 책이었다. 서너 번을 읽어보았다. 유태인 포로수용소에 갇혀 언제 죽을지도 모르는 상황에서 인간이 인간답게 행동하는 결정적인 힘은 삶의 의미를 발견하려는 힘이라는 것을 보았다.

의미의 발견은 내 삶의 고통을 견디게 해 준 선물이다. 한줄기 빛처럼 다시는 나 자신을 몰아세우는 어리석은 시간은 사라졌다. 앞으로 내 인생의 주인공이 가져야 하는 권위, 가치, 존엄을 스스로 지켜나가야 한다. 스스로를 존중해야함을 결심한 날이기도 했다.

새로운 노트를 준비하고 제목으로 나 자신의 이름을 크게 적었다. 내가 고심하고 선택한 삶만 이 속에 가득 채울 것이다. 살아야 하는 이유를 노트에 가득 적어 보았다. 어떻게 살아야 되는 것이지? 어떻게 견뎌온 삶인데 이 귀한 시간을 허투루 쓸 수는 없는 거지. 삶에 대한 이유를 이제 더 이상 묻지 않는다. 이러한 메모는 내 방황의 끝을 알리는 것을 의미했다. 하루하루 가장 멋진 삶을 그리는 것은 오로지 나의 몫임을 알게 되었다.

인생은 연습이 아니라 언제나 생방송이며 난 내 인생의 드라마 작가이다. 넓은 도화지에 그림을 그리듯이 나의 삶을 고스란히 멋지게 펼쳐 보는 것이 내가 선택하는 삶이다. 수많은 사람들과 함께 살 것이며 사람들이 갈 수 있는 곳이라면 어디라도 가볼 것이다. 어떤 제약이 앞에 놓인다 하더라도 나를 멈추게는 할 수 없으리라. 언제나 오늘을 살 것이며, 그 오늘이 쌓여서 내일이 되는 것을!

어느 호숫가를 거닐고 있었다. 이 글귀를 만나고부터는 가슴에다 써 붙였다.

'머뭇거리지 않을 것이다. 머뭇거리기에는 시간이 너무 아깝다.' 얼굴에는 미소, 마음에는 사랑, 가슴에는 배려를 장착하고 살고자 한다.' 쉬울 것 같아도 얼마나 실천하기 어려운 것인지 모른다.

1963년에 스마일리는 탄생했다. 나보다 먼저 태어난 스마일리는 전 세계 사람들이 다 아는 행복의 상징인 이 그림으로 오랫동안 사랑을 받아왔다. 한 보험회사가 직원들의 사기진작을 시키기 위해 하비 볼(Harvey Ball)에게 45달러를 주고 10분 만에 완성한 디자인이다. 오늘부터 난 스마일리가 되는 것이다. 얼굴에 미소를 얹은 이후 모든 일이 잘 풀렸다. 노란 스마일리를 사랑한다.

행복하지 않는 사람들의 삶의 기술은 비교다. 반면에 행복한 사람의 삶의 기술은 관계다. 인내는 흥분하지 않고, 욕구 충족을 미루며, 지루하고 무덤덤함을 견디는 능력이다.

나답게 사는 것

나만의 색깔의 삶을 살기를 원했다. 누구에 의해서도 누구를 위해서도 살고 싶지 않았다. 내가 행복하고 나의 결과로 행복해졌다면 그것은 또 다른 행운의 이름이다.

사랑하는 것을 지키는 일이 쉽다고 생각하지는 않지만 이토록 힘든 일인지를 진작 알지 못했다. 살아가는 것은 지켜가야 하는 일이 많아지는 일이다. 조용한 이 아침에 지켜야 하는 것들을 생각하는 습관이 든 것은 우연이 아니다. 언제나 혼자로 남겨진 무거운 방에서 늘 깨어 있지 않으면 안 되는 이유이기도 하다.

사람들은 타인의 삶에 관심이 많을 줄 알지만 실은 자기 자신 외에 관심이 별로 없다. 문제라고 말해도 사람들은 심각하게 받아들이지 않는다. 난 나 자신의 문제를 장애라고 심각하게 생각했지만 정작 친구들은 예전의 나의 모습을 기억함으로 잘 알려고도 하지도 않았고 알지도 못했다. 그런 생각을 할 관심도 여유도 없었다는 게 이유라면 이유다.

절망은 스스로에게 주는 나쁜 선물이다. 아무도 내게 절망하라고 한 사람은 없다. 나를 나쁜 곳으로 이끈 사람은 타인이 아니라 나 자신일 때가 많다. 물론 환경이 중요하지 않다는 것은 아니다. 좋은 환경을 만드는 것도 매우 중요하다. 좋은 환경에서는 나쁜 것이 자라날 확률이 여전히 낮으니까.

내 자신이 좋은 환경이 되어주고 좋은 관계가 되어 준다고 생각해 보라. 그러려면 우선 자신을 잘 알아야 하고, 자기 자신과 친한 관계를 유지해야 한다. 나의 생각을 어떤 편견이나 선입견으로 멈추게 하지 말고 시간이 흐르듯 자연스럽게 흐르게 해야 한다. 그렇게 되면 좋은 것은 습득하고 나쁜 것은 절대 하지 말아야겠다고 나름의 기준을 정하는 데 무리가 없다.

모난 자신에게도 잘하는 무언가가 있는지를 찾아보는 게 우선이 되어야 한다. 가장 잘난 사람도 비교 대상은 있다. 그렇게 누구에게나 더 잘난 사람이 있기는 마련이다. 그러나 비교만큼 나쁜 것은 없다. 비교가 아닌 다름을 인정하는 것은 각각의 다른 모습으로 잘 살아간다는 증거이다.

노력없이 이루어지는 것은 없다. 더욱이 노력하지 않은 이에게 운이 따라줄 리 만무하다. 운이 좋았다고 말하지만 그 운은 그냥 오지 않았음을 운의 주인은 안다. 모든 게 잘 되게 되어 있을 때도 마지막 순간까지 노력했기에 가능했던 것이다. 노력과 운의 상관관계라고나 할까? 포기하지 않으면 이루어지는...

그렇다면 이제부터는 시간의 문제다. 간절함을 가진 사람이 최선을 다하는 경우가 더 많다. 목마른 사람이 우물을 파듯이 절박한 사람이 쏟는 노력은 열심히 했으니 얻을 수 있는 것이고 그래서 그 승리의 길에 서 있을 수가 있는 것이다.

시간의 문제라는 것은 성취하게 되는 시간을 의미한다. 더는 방황할 시간이 없다. 내가 사랑하고 지켜야 하는 것들을 위해 누가 알아주든 상관없이 열심히 앞으로 나의 길을 가는 것이다. 만약 응원해 주는 사람이 있다면 그것은 행운임에 틀림이 없다.

자신을 알지 못하면 타인을 이해할 수 없다. 즉 타인을 이해하기 전에 자신을 먼저 알아야 한다는 것이다. 나는 무엇으로 사는지, 왜 사는지에 대해서도 자문하라. 공유하는 방도 필요하다. 함께 만들더라도 그 속에서 자신의 고유한 삶은 반드시 존재하기 마련이다. 그 누구에게도 흔들리지 않고 내가 전적으로 나를 책임지는 것, 그것이 진정 잘 사는 것이다.

내 인생의 그림을 다른 사람들이 끼어들어 그려 놓는다면 그것은 진정한 나의 인생이라 할 수 없지 않는가. 오직 나만이 나의 인생을 그려야 한다. 그러려면 모난 자신에게도 잘하는 무언가가 있는지를 찾아보는 게 우선이 되어야 한다. 잘났다고 하는 사람도 비교 대상이 있듯이 누구에게나 더 잘난 사람이 있기는 마련이다. 그러나 비교만큼 나쁜 것은 없다. 다른 생각을 인정하며 그 다른 모습으로 살아가는 것이 정녕 잘 살고 있는 것이라 할 수 있다.

KTX 신경주역

SRT가 생기면서 나의 생활에 변화가 생겼다. 출근 시간에 딱 맞는 고속철이 생겨 자주 집에서 출퇴근도 하게 되었다. 이른 새벽이지만 만나야 할 사람들은 이곳에서 모두 만났다. 나처럼 인근 도시로 출근길인 사람도 있고 해외여행을 가기 위해 공항으로 가는 사람도 있고, 서울의 큰 병원으로 진료를 보러 가는 사람들도 있다.

대구를 가로질러 100km를 45분에 닿는 고속철은 집과 직장으로 다닐 수 있는 새로운 기회를 가져다 주었고 사람들이 살아가는 모습을 보면서 나 자신을 되돌아보는 계기가 되었다. 같은 출근길임에도 요즘은 긴 여행 같은 일상을 매일 반복적으로 한다. 집이 좋아서다. 내 침대가 좋아서다. 익숙함이 좋아서다.

직장으로 인해 늘 생활해 오던 환경에서 벗어나 새로운 생태계에 적응해야 하는 문제에 직면하게 되자 알 수 없는 불면증이 생겼다. 일의 연장에서 벗어나고 싶은 마음이 스트레스가 되어 힘들기 시작하자 통근 버스처럼 고속철을 타고 다닌 지 몇 달이 되었다. 어느 새 출근길 눈부신 아침이 나에게로 왔다.

많은 사람들과 내가 지켜보는 신경주역의 낯섦이 너무나도 익숙하게 나만의 시간들로 담아내고 있었다. 푸른 하늘도 보고 시원한 바람도 느끼면서 사색하기에 안성맞춤이다. 그 모든 것이 일상이 되었다. 복잡한 머리로 살아가는 사람은 이런 여유 있는 시간들이 꼭 필요하다.

통근길은 몇 번이나 자리를 옮겨 다녀야 한다. 어느덧 메뚜기처럼 자리를 내어주는 것을 반복해도 아무렇지도 않을 만큼 익숙해져갔다. 마음은 어느 때보다도 한결 가볍고 편해졌다. 함께 사는 가족의 힘인가? 특별하다고 생각하는 삶을 기대하는 것이 아니라 그저 평범한 일상으로 받아들여지는 순간 그 부피와 무게는 작아지고 가벼워지는 것이다. 최소한 나에게는.

매일 직장으로 출근하는 그 길을 여행하는 기분으로 살려고 나름 노력하는 자신을 발견한다. 직장에 가는 이 여정이 여행은 아니지만 가슴이 뛴다면 그것도 괜찮은 것이구나 싶다. 이 특별한 선택이 없었다면 이런 새로운 작은 도시를 볼 기회가 있었을까? 늘 탐색하듯이 즐기면서 다닌다. 이것도 행운이라면 행운이다.

내가 지탱할 수 있었던 이유

아이들을 돌봐야 하는 엄마로서, 한 남자의 아내로서, 직장의 CEO로서 하고 싶은 일보다 해야 하는 일이 많았다. 늘 바쁘고 시간에 쪼들리면서 살았다. 긴장되고 예민한 순간들이 많았고 단순한 일을 하는 것이 아니라 언제나 심각하고 무거운 책임이 있는 그런 일을 하다 보니 어떤 일도 대충 넘어갈 수는 없었다.

그러다 보니 어깨가 무거운 짐은 남편에게 더 지게 했고 팔순의 어머니께 떠 넘겼다. 그래서 지금 가슴이 더 아린다. 아내로서의 역할을 제일 먼저 내려놓고 엄마로서는 최소한의 의무만 하고 남편에게 기대고 엄마에게 기대기만 했다. 그 두 분의 그늘에서 나의 삶을 지탱하고 있다는 생각은 언제나 미안하고 그래서 더 열심히 직장을 다녔는지도 모른다. 이 자리에서 물러나게 되면 그때는 내가 다 하겠다는 다짐으로 의무에서 빠져나가곤 했다.

늘 녹초가 되는 나를 보고 안쓰러워하는 두 분은 날 엄청 사랑하지 않았다면 아마도 견디기 힘든 선택이었을 것이다. 일찍이 포기하고 의무를 떠넘긴 것을 싫은 기색 하나 없이 거두어 주신 대가로 지금도 집안일이나 아이들 문제에서 두 분의 의견이 우선이다. 그럴만한 것이 나는 한 것도 아는 것도 별로 없다. 낳은 것은 내가 한 것이 맞지만 기른 것은 남편과 어머니 몫이었다.

아이들이 아픈 것도 어머니가 아픈 것도 남편을 통해 들었다. 남편은 그 누구도 따라잡을 자가 없다고 할 정도로 자상했다. 그는 신기하게도 부족하고 아프고 한 것을 귀신처럼 잡아내고 나에게 언제나 작은 소리로 무심한 내게 '전화 한 통화 하지.' '잠깐 들렀다가 오지.'라고 일러 주곤 했다.

칭찬은 고스란히 내가 듣고 일은 몽땅 남편 몫이었다. 돈도 되지 않는 일, 한 번도 벌어서 안겨준 적 없었다. 월급이 너무 적다는 게 나의 핑계였지만 누구보다도 밥 잘 사기로 유명하니 그 월급이 남는다는 게 이상한 일이겠지. 밖에서는 유능한 기관장이었는지 몰라도 집에서는 의견이 없는 들어주는 사람, 살림에는 무능력한 사람으로 살았다.

그렇게도 살아지는 게 인생인가 보다. 참으로 집안일에 대한 책임감보다 병원 일에 더 바빴다. 사회를 나의 손으로 더 나은 쪽으로 가게 하겠다는 결심만은 변함없는 신념으로 지키고 가꾸었다. 소신을 가지고 있다는 것은 자신감의 또 다른 모습이다. 세상이 아무리 어려워도 힘들지 않았고, 지치지 않았던 이유는 해야만 하는 분명한 의지가 가슴에서 불타 다른 것은 보이지도 들리지도 않았다. 이 일이 내가 살아가는 이유라고 언제나 자신감 넘치게 말하고 나아갔다.

깨어 산다는 의미

아무도 그 열정에 한마디도 덧붙이지 않았다. 압도당했다고 해야 하는 게 맞을지 모르겠다. 이런 것은 타협할 사항들이 아니라고 생각했고 아프고 외롭고 지친 흔들리는 영혼을 지켜야 내가 살아갈 힘이라고 생각했다. 믿지 않을지 모르지만 어느 날 고개를 들어보니 10년이라는 시간이 흘러가 있었다. 그 시간이 나에게는 고통에 대한 갈등도 사랑에 대한 갈등도 없이 그냥 그 시간 속에서 최선을 다하면서 숨을 쉬고 해야 할 일을 하면서 그렇게 살아있었다는 표현이 맞을 것이다.

정신을 차리고 보니 남편은 자기가 하고 싶은 삶대로 살고 있었고 딸은 어느새 유학을 마치고 대학원에 진학하고 아들은 사회복무요원으로 근무하고 있었다. 나의 도움 따위는 필요 없는 사람들로 변신해 있었다. 여전히 나는 일이나 열심히 하라는 주문을 받고 있다.

누구에게도 기대거나 공짜를 바란 적이 없었다. 필요한 것은 나의 노력으로 구했고 수많은 사람들에게 기회를 주는 게 나의 행복이며 삶의 의미였다. 이제는 하고 싶은 것을 하면서 살기로 했다. 아무도 나에게 기대지 않는 삶, 이 가벼움이 난 좋다. 그동안 내가 읽었던 모든 책은 일을 잘하기 위한 책들이 전부였다면 언제부터인가 누군가의 인생의 경험과 깊이를 재는 책에 관심을 갖게 된 것도 일이 아닌 인간에 몰두해 있기 때문일 것이다.

단 한 순간도 허투루 살 수가 없었다. 이 고귀한 생명을 앗아가지 않고 남겨 두었을 때에는 그만한 가치가 있겠지 라고 생각하면서 난 내 삶의 전면에서 물러서지 않고 앞으로 달렸다. 때로는 불안과 고통도 가졌지만 이제는 가속도가 붙어 내 나이 또래가 가져보지 못한 삶의 경험을 쌓으면서 여기까지 왔다.

한판의 승부처럼 난 지지 않았고 멋지게 살아왔다고 생각한다. 자신이 통제하는 삶이 가장 만족스러운 삶이라는 글을 읽은 적이 있다. 고스란히 나의 의지대로 살아온 지난날에 단 한 점의 후회도 남기지 않고 난 그 시간에 최선을 다해 온 몸으로 살아왔다. 대부분의 사람들은 이 자유로움을 알지 못하는 것 같다. 그렇게 살지 않아도 되는데도 불구하고 스스로에 묶여서 살아가는 사람들이 대부분이다.

코끼리가 말뚝에 매여서 처음에는 벗어나려고 발버둥치다가 몇 번의 실패를 거듭하면 말뚝에 매인 끈을 풀어주어도 더 이상 말뚝을 벗어나지 못한다. 사람들도 습관처럼 살아온 삶에 익숙해지고 길들어져 가는 게 보편적이다. 나는 고삐 풀린 망아지처럼 이리저리 한자리에 가만히 있질 않았다. 다음이라는 단어는 나에게서 빼버렸다. 가고 싶다면 박차고 그곳으로 갔다. 머뭇거릴 시간은 나에게 없다며 늘 나를 일깨웠다.

소규모 행사를 진행해도 사전에 꼭 행사장에 들른다. 물론 회의장의 규모나 좌석배치나 눈여겨보지만 그것보다도 더 꼼꼼히 챙기는 부분은 바닥에 턱이 있는지 설비하는 과정에 노출된 선들이 있는지, 출입구가 어디에 또 있는지 등을 챙긴다. 행사장을 둘러보고 와서 직원들과 이야기를 나누는 과정에서 발견하는 것 중에 하나가 대충 본다는 것이다. 입구의 위치는 기억을 하지만 다른 모든 것들은 기억이 희미한 경우가 더러 있다. 높은 무대를 올라가는 계단의 위치에 관심이 없는 경우가 많은데 다른 사람들은 불편한 나의 경우는 한 눈에 들어온다.

내가 움직이는 데 장애가 되는 모든 시설물에 대한 사전 확인은 참여하는 모든 사람들의 안전을 보장하기도 하지만 내가 가장 안전해야 하기 때문이다. 턱에 걸려 넘어지는 것이 일쑤니까 사전에 확인하는 것이 이제는 습관이 되었다. 삶도 마찬가지라고 생각한다. 내가 무엇을 하고 어디로 가고 있는지에 대한 분명한 인지야말로 삶을 제대로 살아가는 방법이 아닐까, 이런 관심은 삶의 질에 얼마나 많은 영향을 주는지 깨닫게 해준다. 매순간 깨어 있다는 의미가 바로 이런 것이 아닐까?

1만 시간을 투자하면 악기를 배우고 2천 시간을 투자하면 음악선생을 할 수 있다고 한다. 4천 시간을 투자하면 작은 도시에서 유명한 음악가로 활동하고 1만 시간을 더 들이면 조수미처럼 세계적인 유명한 음악가가 될 수 있다고 한다. 그러나 누구에게나 공평하게 주어진 시간이지만 어떻게 활용하는가에 따라 엄청난 차이를 보인다.

생활의 달인에 출연하는 모든 분들이 나에게는 스승 같다. 깨어 있으면서 몰입하는 귀한 시간들을 보낸 사람들을 보면 감탄사가 절로 나온다. 성공은 언제나 큰 것에서 판가름 난다고 하지만 나의 경험으로는 소소한 작은 것에서 나오는 경우가 더 많다.

구멍 난 바지

나의 바지 왼쪽 무르팍 쪽에는 언제나 구멍이 나 있었다. 구멍 난 바지에서 벗어나려면 습관을 바꾸지 않으면 해결될 수 없는 문제였다. 20년간 길들여진 습관을 바꾸지 않으면 안 되는 상황에 놓인다면 어쩔 수없이 하지 않으면 안 된다.

나도 그렇다. 사고로 왼쪽다리를 잃었다. 걷기 위해 의족을 했다. 그렇다고 걸어지는 것은 아니다. 이미 알고 있는 걸음을 다시 배운다고 생각을 해보면 어떨까. 그 많은 구멍을 내면서 한걸음부터 배우지 않으면 안 되었다. 수도 없이 넘어지지 않고서 잘 걸을 수는 없다. 잠깐 방심이라도 할라치면 그대로 넘어지기 일쑤였다.

지금은 뭐든 자동으로 작동하는 컴퓨터가 알아서 하도록 내버려둔다면 아무런 문제가 없다. 요즘의 문제는 편견을 가진 나 자신만이 그 작동을 어렵게 한다. 조심성 많은 나였지만 사흘이 멀다 바지에 구멍을 내다 보니 어머니께서 바지를 두 벌씩 맞추어 주셨다. 계단을 내려오다 멀쩡한 오른발을 마음보다 먼저 내디딘 순간 넘어지면서 얇은 천은 그냥 뭉개지며 구멍이 난다.

세탁소에 보내고자 요리조리 살펴보실 엄마의 속상함까지 가세한다면 너무 슬펐다. 아픈 쪽 다리로 내려가야 한다고 수없이 연습을 해도 다쳤던 사실을 잊은 채 아무 생각 없이 내려가다 넘어진 날, 바지에 구멍을 낸 날은 나 자신도 어쩔 수 없는 망연자실한 자신을 한심하게 생각한 것도 한두 번이 아니었다.

10년도 넘게 난 바지를 늘 두 벌씩 맞췄다. 사람이 무언가를 바꾼 다는 것, 혁신이 얼마나 어려운지 알게 되었다. 나 자신을 바라보면서 제자리로 돌아가려는 무의식의 힘이 얼마나 대단한지도 알게 되었다. 습관으로 길들여지는 것이 얼마나 많은 노력과 힘이 드는지를 알게 됐고, 꿈속에서 조차도 변하지 않는 그 질기고 억센 본능을 평생 동안 내 자신을 통해 알게 되었다.

이제는 바지에 구멍 나지 않는다. 아니지, 또 느슨해진다면 날 수도 있겠다. 그만큼 힘들기 때문에 언제나 난 있는 그대로를 살려서 최선을 다한다. 일을 하면서 부딪치는 사람들과의 관계에서는 그저 있는 대로 봐 줄 수밖에 없는 이유를 찾는다. 그건 자신을 통해 배운 그 질기고 질긴 습관이라는 것을 알기 때문일 것이다. 무던히도 잔소리 하면서 다른 사람들을 고치려고 드는 사람들을 보면 고치려고 하고 싶은 거지 고쳐지는 게 아니다 라고 말해 주고 싶어진다.

나처럼 변하지 않으면 죽을지도 모른다는 절박함이 없으면 고쳐지질 않는다. 바꿔야만 된다는 의지를 품고 쉼 없이 노력을 해도 성공하기 쉽지 않는데 단순히 바꿔봐야지 정도로는 어림도 없다는 것을 진즉 알았기에 사람들에게 덜 기대하면서 살았는지 모른다.

무엇이라도 바꿔서 잘해보고 싶다면 환경을 바꿔주든지 아니면 자신을 바꾸기 시작한다면 조금은 달라질 수 있다고 생각한다. 가장 빠른 방법은 내가 변해서 상황을 다르게 하는 게 더 속도가 날 수 있다. 사람들은 절박해지지 않고서는 절대 바꿔야겠다는 생각을 하지 않는다는 것을 알았으면 좋겠다. 그래야 조금이라도 행복해질 테니까.

죽음에 관한 치열한 생각

20대부터 치열하게 죽음에 대해 공부를 하였다. 남다른 삶을 사는 이유라면 먼저 죽음을 생각했기 때문이기도 하다. 의사로서 병원이라는 곳이 생사가 갈리는 곳이기도 하고 죽음에 익숙한 곳이기도 하지만, 그러나 늘 가까이 있다고 해서 알 수 없는 것이 죽음이었다. 타인의 죽음을 통해 벌어지는 수많은 사연들 속에서 삶이란 것에 대해 깊이 이해하게 되었지만 나의 죽음에 대한 깊이는 보이지 않았다.

사람의 팔자는 모르는 일이다. 무슨 일이 일어날지 한치 앞도 보지 못하면서 자신감 넘치게 허세를 부리면서 산다는 것을 그제서야 알게 되었다. 사고가 있기 전의 나의 모습은 그야말로 우등생 모범생의 표본이었지만 인생을 바꿔 놓을 만한 사고를 당한 후에는 다르게 살지 않으면 안 되었다.

정상적인 경쟁은 나에게 엄청난 불리한 조건일 뿐이었다. 체력은 말할 것도 없고 정신은 피폐 그 자체였다. 거기다가 의욕이란 것도 없었고 더더욱 희망이라는 무언가는 찾아보고자 해도 찾을 수 없었다. 그만큼 내 삶이 송두리째 바뀌었다. 황당하기 그지없는 일을 겪어보지 못한 사람들은 이해할 수 없을 것이다. 추락이라는 단어 외에 적당한 말이 없었다.

내가 왜 살아야 하는가에 대한 질문으로 시작했다. 그런 다음에는 어떻게 살았는지에 대한 질문에 답을 하고 무엇이 나를 변화하게 했고 어떤 것들을 적용하면서 살아왔는지에 대한 글을 써보기로 했다. 그토록 간절하게 지켜온 모든 것들에 대한 질문에 하나씩 답을 하고 이 생을 보내면서 아쉬웠던 일들에 대해 답해 보는 것으로 하자고.

좀 더 시간이 걸리는 것이라며 집요하리만큼 생각을 모으고 해답을 찾기 위해 몰두하는 시간은 내겐 전혀 지루하지 않았다. 책을 찾아 읽었고 사람을 만나서 어떻게 했는지도 물었다. 내가 찾아가는 문제에 대한 답을 구하지 못하자 알게 된 사실은 내가 생각했던 수많은 문제들은 나만의 고민이 아니었고, 이전 시대를 살아왔던 사람들도, 지금 살아가는 사람들 역시 고민해왔던 문제였음을 알게 되었다.

그런 걸 아는 순간 난 두려움이 없어졌다. 그 고민은 미래의 사람들의 것이기도 했다. 그러자 '어차피 죽음을 모면할 수 없는 일이라면 앉아서 죽음을 기다리는 것이 아니라 죽을 때까지 이 삶을 알아보자'라는 생각이었다. 그런 결심을 한 이후로는 어떤 갈등도 없이 해야 하는 일보다 하고 싶은 일을 먼저 하게 되었고 삶의 우선순위가 달라졌다.

단 한 순간도 그냥 흘러 보낸 시간은 없다. 그만큼 바쁘고 열심히 살아온 것이다. 뭐든 열심히 했다. 공부도 열심히 하고 일도 열심히 하고, 다들 그런 열정이 어디서 오는지 물어오는 사람들이 많았다. 지치지 않았던 이유는 내 가슴 속에 다른 것이 있기 때문이었다. 시간이 너무 귀하다는 생각에 기왕 산다면 삶의 의미와 가치를 찾아 살고자 했다. 일생을 보낼 직업을 구하는 것도 돈보다는 의미를 찾았고 인맥을 쌓는 일조차도 사람들과는 다른 잣대를 대며 찾았다.

살자고 마음을 먹으면서 어떻게 살아야 하는지를 사람에게서 배웠다. 수많은 사람들을 만나면서 그들은 내 스승이 되었고 그러다 어려움을 의논할 사람이 없을 때는 책을 펼쳤다. 누군가 책 속에 길이 있다고 했을 때 처음에는 그 말이 무슨 말인지 알지 못했지만 책은 내가 몰랐던 무수한 것들에 답해주었다.

나만의 고민인 줄 알았던 사실들이 수천 년 전 사람들의 고민이었고 그것을 글로 남겨 배울 수 있게 한 책은 내게 있어 또 하나의 스승이 되었다. 아이러니다. 죽음의 깊이와 삶의 방법을 사람과 책에서 배울 수 있다니...

실패는 성장을 위한, 새로운 것을 배워나가는 기회라고 생각하는 자신을 발견하였다. 사람들은 끈질기게 매달리며 시간을 버텨냈던 나를 특별하게 생각했지만 난 그냥 회피하지 않고 눈을 부릅뜨고 바라보며 어려움의 강도를 조금씩 올리면서 인생의 문제를 하나씩 풀어가고 있었을 뿐이었다. 포기하지 않는다면 이제는 시간의 문제라고 나를 설득하면서 말이다.

그러면서 생각했다. 인간을 성장시키는 최고의 선물은 호기심이 아닐까? 난 할 수 있다는 것을 증명하려 했지만 나를 막고 서는 것은 아무 것도 없었다. 어려움을 만났지만 기다리면 모든 상황이 바뀌 지나갔고 힘들이지 않아도 할 수 있었다. 기회라는 것은 변화하는 과정 속에 적기를 기다릴 수만 있다면, 조급증을 제어할 수만 있다면 문제 될 게 하나도 없었다.

장마가 와도 그 장마는 시간이 해결해 준다. 아무리 우산을 준비해도 아니 더 많이 준비해 둔다 해도 장마는 그리 오래 가지 못한다. 사람도 조직도 영원할 것이라고 착각하는 사람들이 많지만 언제나 시간이 되면, 때가 되면 변하게 된다. 직접 하느냐 아님 다른 사람들의 손을 빌어야 하느냐의 문제이지 그 이상의 문제는 아니다.

밥을 지어 빨리 먹고 싶다면 설익은 밥을 먹을 자신이 있어야 하고, 뜸을 들이고 맛있게 먹고 싶다면 최소한 소요되는 시간을 꼭 지켜야 한다는 사실을 사람들은 간과하는 경우가 더러 있다. 현명하지 않아도 알 수 있을 것 같지만 사람들은 조급증이 생각보다 심하고 이기적인 모습이 드러나는 것을 쉽게 볼 수 있다.

사람들은 얼굴 모습만큼이나 모두가 다르다. 개성도 다르고 성격도 다르고 똑똑함도 다르고 도덕성도 다르다. 생각하는 것을 멈추지 않는다면 그 누구든 매일 선택을 통해 성장하며 인생에서 나만의 색다른 답을 구해 나갈 수 있다. 답을 구하기 위해 노력했던 시간들이 모여서 선택을 하게 되고, 자신만의 특별한 가치와 신념을 녹여서 만들었다면, 자신이 하고 싶은 것을 선택할 수 있도록 이끌게 될 것이다.

어느 순간 세상이 바라는 나로 사는 것보다 내가 만들어가는 삶을 살고자 결심한 내 자신에게 칭찬해 주고 싶다. 편견을 가지지 않았고 인생은 딱 맞는 정답이 없다는 것을 알았기에 가능했다. 허우적대던 피폐의 늪에서 스스로 빠져나온 그 용감함에 대견하다 말해주고 싶다.

한 번은 만나야 할 사람

언젠가 한번은 꼭 만나야 되는 분이 있다. 매일 눈물만 보여서 아직도 울고 있는지 오해할까 봐서 꼭 만나야 하는 분이다. 나의 주치의였고 스승이신 김교수님!

무더웠던 그 날, 내 인생을 송두리째 곤두박질 치게 한 사고로 앰블런스에 실려 응급실로 실려 간 그날 이후 나는 6층 정형외과 병동에서 여름 내내 긴 시간 동안 입원해 있었다. 다시는 뒤도 돌아보기 싫었고 근처에는 얼씬도 하기 싫어 지금껏 찾아 뵐 수 없었던 이유를 교수님은 이해하실까.

오늘이 스승의 날이기도 하고 지난번 어머니께서 꼭 찾아뵈라고 신신당부를 하셔서 꽃 한 바구니를 사들고 찾아뵈러 갔다. 연구실에서 기다리고 계셨다. 소파에 자리를 내어주시면서 잘 지냈냐며 먼저 말씀을 하셨다. 살아가는 동안 드문드문 떠올랐다고 하셨다. 신문을 통해서 잘 지내는 것을 보았노라고, 지인들을 통해 어디서 살고 있는지도 들었다고 하셨다.

목이 메어서 많은 말씀을 드리지 못했다. 눈물이 날 것 같아서 어금니를 꽉 물었다. 깊고 질긴 인연임을 말씀으로 느끼게 해주셨다. 고우셨던 어머니를 기억하시고 잘 지내시냐고 안부의 말씀도 주셨다. 그 어머니의 사랑 때문에 잘 살아올 수밖에 없었다고 했었고 착하고 성숙한 남편을 만나 두 아이의 엄마가 되었다는 얘기도 드렸다. 이미 알고 계셨다.

30년이 지났어도 단 한 순간도 잊어보지 못한 상흔을 매일 되새기면서 살아온 날에 대해서도, 죽음의 문턱에서 살아난 기적이 한 인간에게는 또 다른 절망의 시작이었다는 것을 얘기했었고, 선택하지 않으면 안 되는 어려운 순간이 많았지만 이제는 잘 살고 있다고... 그러자 그날의 절망적인 아픔이 다시금 생생하게 되살아났다.

선생님께서 수술 결정을 하시면서 고뇌를 할 수밖에 없었던 그 순간을 기억하셨다.

회피할 수 없는 고통이 기다리고 있는 줄도 모르는 채 이미 지나버린 과거였다고 정작 고통은 다친 그 순간이라기보다는 세상으로 나오기 위해 한걸음 한걸음을 내딛을 때부터 시작되었다고, 그리고 그것이 스토리 있는 인생이 되었다는 것도 말씀드렸다.

그 날을 잊기 위해 몸부림치는 시간이 쌓여서 오늘이 되었고 하루하루 흘린 눈물을 쌓아서 채워진 내 삶을 얘기했었다. 그동안 하루도 마르지 않은 눈을 기억하고 계실 선생님을 만날 용기가 나질 않았었다. 30년이 훌쩍 지나서 찾아뵈었다. 젊디젊었던 선생님은 온데간데없고 주름살 패인 얼굴에 함께 나이 들어가는 노신사의 모습이셨다.

나는 이제는 다시 만날 수 있을 것 같아서 용기를 내어보았다고, 인내심으로 채워진 내 삶에 대해서 이제는 웃으면서 얘기할 수 있을 것 같아서 용기가 났다고 했고 교수님은 그 고통의 시간을 잘 지나와서 다행이고 다시 한 번 용기 내어 멋있게 살고 있어서 기특하다고 하셨다. 눈물을 참는데 아주 힘이 들었다. 스승의 날에 잘 자라 찾아온 제자가 있어 보람된다는 말씀과 열심히 잘하라고 당부하셨다.

모든 것이 좋았다, 고마웠고 감사했다. 오래오래 지켜봐 줄 선생님이 계셔서 행복해진 하루였다. 작은 버릇 하나까지도 바꾸지 않으면 살 수 없었던, 걸음마를 한 발짝씩 다시 배운 낯선 제자를 앞에 두고 아마도 선생님께서 기억하시는 모든 것 중 변하지 않은 것은 내 이름 석 자와 얼굴뿐이었을 것이다.

기억하고 싶지 않은 6월 어느 날

그날도 오늘처럼 날씨가 후텁지근했다. 토요일이었고 학교는 데모로 시끄러웠다. 대학교 2학년이 되었지만 수업이 없는 날이 더 많았고, 학교 수업이 정상적으로 진행되지 않았다. 주말을 고향집에서 지내기 위해 고속버스 터미널로 가는 길, 다시는 돌이킬 수 없는 운명이 내 앞에서 닥쳐오고 있는 지도 모른 채 길을 나섰다.

기억하고 싶지 않지만 이제는 그날이 더는 두렵지 않다. 그렇다고 덤덤하게 그날을 적을 수 있다는 게 지금은 아무렇지도 않다는 것은 아니다. 하지만 외면하지 않겠다는 의미다. 더는 회피하지 않고 정면에서 나 자신을 바라볼 수 있다는 의미다. 하지만 오늘만은 하루 종일 의식하면서 보냈다. 바로 그날이기 때문이다. 언제쯤 난 이런 기분을 떨쳐낼 수 있을까?

35년 전 오늘 난 많은 것을 잃었다. 아니 나의 전부를 잃은 날이지. 기억하고 싶지 않은 현실이기는 하지만 매일 난 그 상처를 느끼면서 35년을 살았다.

건널목을 건너다가 달려오는 트럭을 미처 피하지 못하고 부딪혀 난 산산조각이 났다. 이마는 깊이 찢어졌고 왼쪽 팔은 부러졌다. 왼쪽 다리는 앞으로 어떻게 될지 모를 만큼 부서졌다. 바퀴에 휘감겨 살려내기 어려울 만큼 심각하게 손상된 상태였다. 왼쪽 다리를 절단하지 않고서는 생명을 구할 수 없다는 게 의료진의 판단이었다.

부모님은 딸의 불운이 미래에 어떤 영향을 끼칠 것인지를 생각하니 의료진의 판단에 동의할 수도 없었고 그 어떤 결정도 할 수 없는 절망 상태였다. 우리 가족 모두에게 슬픔과 고통을 한꺼번에 가져다주기에 충분한 사건이었다. 사망하지 않은 게 기적이라는 말은 살 수만 있다면 뭐든 포기해야 한다는 말과 같다. 그래서 난 그날 살기 위해 모든 것을 버렸다.

모든 것을 버리지 않으면 살아갈 수 없는 상황에 놓인 것을 한참 뒤에 알게 되었다. 그러나 삶은 나를 버리지 않았다. 벗어날 수 없을 것이라 생각했던 그 고통에 난 너무 잘 적응했고 나에게 왜 이런 고통이 주어졌는지 그 답을 찾아 나선 것이 나의 인생이 되었다.

의사라는 직업이 단순하게 남을 위해서만 좋은 것은 아니었다. 내가 원하지 않았지만 운명처럼 난 그 길을 걸었고 자신을 이해하고 나를 받아들이며 나를 찾아가는 길을 잘 안내해 주었다. 의과대학을 진학할 때 면접에서도 말했듯이 다른 사람들을 도울 수 있는 유일한 직업이라 생각해서 선택하였다고는 했지만 결국 난 그 직업으로 나를 이해하고 받아들이는 것으로 충분했다.

태어날 때부터 타고난 장애였다면 난 이렇게 성장할 수는 없었을 것이다. 이미 성인이 된 뒤 사고로 인한 장애를 가졌기 때문에 얼마든지 삶을 나름 해석하고 앞으로 나아갈 수 있었던 것이라고 생각한다. 물론 아무런 기대를 하지 않는 삶을 산다는 것은 때때로 시시하기도 했지만 뭐든 시도해보는 삶이 되기도 했다.

불편하기는 했어도 난 걸을 수 있었다. 비록 빨리 걸을 수는 없었지만 천천히 가고 싶은 곳으로 갈 수 있었다. 머리를 다쳤더라면 난 평생 누구의 도움 없이는 살아갈 수 없었겠지만 난 나의 의지만으로 나의 삶을 선택했고 설계하며 완성할 수 있었다.

'숨만 쉴 수만 있으면 살아 있어 달라'는 어머니의 주문은 어쩌면 내 운명을 연장시키는 최고의 도구였는지 모른다. 그러나 난 숨만 쉬기에는 너무 많은 욕망을 가지고 있었다. 아무도 가지 않는 길을 가는 것을 주저하지 않자 그 길은 기회였고 나의 것이 되어 주었다. 그 흔한 경쟁도 별로 없었고 소소한 갈등도 견딜만 했다. 외롭고 힘은 들었지만 그 노력의 몫은 보람과 성과로 나타났고 내가 가는 길은 모든 것이 새로운 길이 되었다.

진급하기 위해 필요한 80점이면 충분합니다.

본과로 들어가기 위해서는 다른 사람보다 준비할 게 더 많았다. 학교를 다니려면 불편한 몸 때문에 누군가가 책가방이라도 들어줘야 하는데 그럴 수는 없었다. 혼자 다닐 수 있게 하는 방법은 자동차를 사는 것으로 결론을 내렸다. 그 때만 해도 전국 어디에서나 운전면허를 딸 수 있는 것이 아니었다. 한국에서 오토매틱으로 2종 보통 면허를 딸 수 있는 곳은 서울 한남동에 있는 자동차 면허 시험장이 유일했다.

1986년 초 난 학교를 다니기 위해 서울 고모네로 주소를 옮기고 한남동 자동차 면허 시험장에서 운전면허를 따기 위한 연습에 들어갔다. 부담감이 상당했다. 공부에 대한 스트레스도 만만치 않았는데 동기 친구들은 다들 본과를 진입하기 위해 여관에 모여서 골학을 공부하기 위해 전념했지만 나는 운전면허증을 따는 것이 더 절박했다. 하루에 2-3시간이 걸리는 버스를 타고 거의 두 달을 시험장에서 운전 연습을 했고 그 덕으로 새 학기 시작 전에 면허증을 딸 수 있었다.

본과에 진입해서 첫 구두시험이 있었다. 혼자 독학으로 우리 몸의 뼈를 외우는 것이 쉬운 일이 아니었다. 친구들은 방학동안 여관을 잡아 합숙하면서 공부하는데 나만 혼자 다른 것을 했으니 걱정이 이만저만 아니었다.

구두시험을 치러 갔을 때의 일이다. 교수님께서 시험에 앞서 무슨 문제인지 뽑고 있는 나에게 말씀하셨다. 뼈 이름 하나 더 아는 게 뭐가 대수로운 일이냐고 하시면서 어려운 일 겪은 것 다 아니 어려울 때마다 걱정하지 말고 언제든지 말하라고 하셨다.

해부학은 본과 1학년 때 하는 수업으로 생각보다 만만치 않았다. 기본이 탄탄해야 하므로 그 수많은 해부학에서 기본이 되는 뼈와 근육, 조직 등 이름을 알아가는 것이 너무 힘들었다. 해부학 태깅 시험은 실습시험으로 근육이나 뼈에다 꼬리표를 달아놓고 적어 넣는 전형적인 실습 시험이었다. 현미경도 중간에 봐야 하고 움직임이 많은 시험이어서 앉았다 섰다를 반복하면서 치르는 시험이었는데 중간에 선생님께서 잡아주시면서 천천히 해도 된다고 하셨다.

그 시험은 주어진 시간 안에 적어야 하는 시험이라 나만 특별대접 받는 것이 부담스러웠다. “선생님, 저는 100점이 목표가 아닙니다. 친구들과 동등하게 시험을 치고 싶습니다. 제 기준은 80점이고 진급하기 위해 필요한 점수면 충분합니다”라고 하면서 그대로 시험을 쳤던 기억이 난다.

하나 더 맞혀서 좋은 점수를 얻는 것보다 친구들과 동등하게 같은 조건으로 시험을 치고 싶은 내 마음을 너무나도 잘 반영되었던 사건이었다. 그 이후로 의과대학 다니는 내내 불편하다는 이유로 베푸는 지나친 배려를 사양하였다. 아마 그 때 내가 특별한 배려를 받았다면 친구들이 공짜 점수를 받았다고 두고두고 뒤에서 얘깃거리가 되었을 것이다.

그 당시에는 한 테이블에 4명 중 1명은 본과 2학년으로 진입하지 못했는데 나의 선택을 통해 자존심으로 똘똘 뭉친 나 자신을 발견했다고 해도 과언이 아니었다. 지금도 대학 동기들과 친하게 지낼 수 있는 것은 그 특별함을 인정받기보다는 불편하다는 이유로 친구들보다 더한 배려를 받지 않고 정정당당하게 경쟁을 했기 때문이 아닌가 생각한다.

그 때만 해도 나처럼 다쳤거나 선천적으로 불편한 다리로는 의과대학 입학 자체가 불허되는 상황이었다. 조금만 불편해도 의과대학에 진학을 못한다는 사실을 알게 되면서 이는 도저히 있을 수가 없는 일이라고 생각했다. 아마도 그 즈음에 세상에는 잘못된 것들이 많다는 것을 알았을 것이다. 그러면서 깨달은 것은 내가 하는 모든 선택은 다른 사람에게 새로운 기회를 만들어주는 기준이 될 수 있겠다는 생각을 했다.

열심히 해야 하는 이유가 하나 더 생긴 것은 부담이 되었지만 반드시 해야만 하는 절대적인 이유가 되기도 했다. 내가 의과대학을 졸업하는 것만으로도 다른 사람에게 기회를 열어주는 계기가 될 수 있다면 그것으로 족하다는 심정으로 버텼다.

그러나 친구들의 도움 없이는 할 수가 없었다. 도서관이 5층이었는데 공부가 끝나고 내려오면 누구든지 내 책을 1층 내 차 앞에 가져다주었다.

잘 아는 친구이든 모르는 남학생이든 거의 불문율처럼 도와주었다.

싸워야 할 대상은 내 자신

친구들은 내게 도대체 못하는 것이 뭐가 있냐고 묻는다. 뭐든 해보지 않으면 직성이 풀리지 않는 성격은 그 때 더 고착되지 않았나 생각이 든다. 친구들은 입학할 때 보았던 내 모습 그대로 보았다. 어떤 편견도 선입감도 없이 있는 그대로 보아주었다. 아마도 이런 동기들 덕택에 무사히 의과대학을 6년 만에 입학동기들과 함께 졸업을 할 수 있었고 의사가 되었다고 생각한다.

이것은 또 하나의 행운이었다. 나 자신이 할 수 있는 일에 집중을 하였고, 나 자신이 무엇을 잘하는지에 대한 생각을 정리했고 가장 잘하는 것으로 좋은 시간을 선택하여 의미 있는 삶을 만들면서 살아올 수 있었다. 살아야 하는 이유에 대한 답을 구하는 일도 게을리하지 않았다. 본과를 진입하고서도 난 한동안 방황을 하였지만 공부 때문은 아니었다.

의사면허증이 주는 기회는 얼마든지 많았다. 지금처럼 치열하게 경쟁하지 않아도 마음만 먹으면 어디든지 갈 수 있었다. 특별함은 더 이상 나에게 특별하지 않았다. 불편하다고 해서 많은 도움을 받았지만 공짜로 받은 것은 없다. 나 자신에 대한 기대와 성적에 대한 기준점을 체력에 맞게 조금 낮추었을 뿐 난 그 어느 것도 포기하지 않았다. 좀 더 시간을 들이고 노력하면 못 할 것이 없었다.

나의 불편함을 모든 사람들에게 이해시킬 필요도 없었고 모르면 모르는 대로 알면 아는 대로 문제될 것이 없었다. 솔직함은 나로 하여금 자유를 가져다주었다. 자존심 작렬은 나 자신을 지탱하게 했고 그런 나의 모습에 친구들의 보이지 않는 배려가 있었다.

다행스러운 것은 사고 시점이 아직 덜 여문 시기에 맞닥뜨리지 않았다는 것이다. 나 자신을 움켜쥐고 나 스스로 드라이브 할 수 있는 시간에 맞은 사고였기에 얼마든지 감당할 수 있었다. 난 나 자신을 있는 대로 받아들일 수 있을 만큼 정신적으로 성숙해가고 있었고 더는 쓸데없는 질문으로 자신을 헤집는 어리석은 행동을 하지 않았다. 힘들 때는 그냥 앞에 주어진 시간에 충실했고, 그 자리에 버티다가 물러서야 할 시점에는 시간이 해결해 준다는 것도 어렴풋이 알게 되었다.

내가 싸워야 하는 상대가 친구들이 아니라는 것을 일찌감치 알았다. 그 대상은 오직 나 자신인 것을... 나는 단 한 번도 포기하거나 물러서 본 기억이 없다. 다만 다른 사람보다 더 많이 생각했고 더 많은 시간을 투자했을 뿐이다. 내가 가야 할 길을 나의 페이스대로 조용히 걸어가며 흔들리지 않는 자신을 믿었다. 그렇게 나를 어루만지면 그 어떤 것이라도 마음먹은 것은 다 할 수 있었다.

Ⅱ.
내가 사랑하는 것들

내 어린 날의 꿈

가족들과 함께 아침식사를 하는 중이었다. 뉴스를 틀어놓았는데 다급한 목소리가 들렸다. “여기는 바그다드입니다.” 어느 종군 여기자의 목소리가 방송을 타고 나의 귓가에 들렸다. 폭탄이 난무하는 걸프 전쟁터 한가운데서 두려움에도 아랑곳하지 않고 흔들림 없이 방송을 하고 있는 한 여기자의 모습을 보았다. 나는 너무 놀라 한동안 그 자리에 얼어붙었다. 적어도 내게는 멋짐의 완결판쯤으로 강렬하게 각인되는 사건 중에 하나였다. 나도 저렇게 살아야 되는데 뭔가 잘못된 길로 들어 선 것이 아닌가 하는 생각이 불현듯 스쳤다.

나의 어릴 적 꿈은 기자에서 방송 앵커로 바뀌었다. 초등학교 다닐 때는 선생님이 되고 싶다는 생각을 한 적도 있었지만 중학교를 다니면서 방송 앵커라는 구체적인 꿈을 꾸게 되었다. 현장에서 뛰어 다니며 뉴스를 전하며 생동감 넘치는 삶을 동경했던 내게 어느 날 문득 방송을 통해 들려 온 목소리는 나의 꿈을 다시금 일깨워 준 것이다. 대학을 선택할 때 서울에 있는 신문방송학과를 들어가기 위해 유학을 갔어도 되었는데 아쉬웠다.

매스미디어의 꽃이라 할 수 있는 방송은 공직에 있으면서도 한 번도 그 꿈을 잊어 본 적이 없다. 그 어떤 매체보다 강한 전파력과 파급력을 가지고 있는 방송 매체는 쌍방향 소통이라는 점에서 매우 매력적이다. 또한 세계 동향이나 우리 사회의 이슈를 직접 취재하여 온 국민들에게 전달한다는 것은 그 어떤 것과 비교할 수 없는 최고의 가치있는 일이라 생각했었다.

일을 하다 보면 방송 출연도 종종 하게 된다. 지역 방송국의 토크쇼에도 출연하고 종합편성인 엄지의 제왕에 출연도 했었다. 의료원장을 하면서도 여러 번 방송을 할 기회가 있었는데 그럴 때마다 평소 관심을 가지고 있는 분야여서 핵심을 놓치지 않으면서 즐겁게 방송을 할 때마다 방송인 기질이 있다는 칭찬을 듣곤 했다.

포항MBC 특급이야기 쇼와 대구 TBC시청자 위원

처음으로 보건복지부에서 지역사회 건강증진사업에 대한 공모가 진행되었다. 1999년도로 기억하고 있는데 3가지 건강증진사업으로 공모에 응했고 그 때 경주시보건소가 공모에 최우수보건소가 되면서 건강한 경주라는 책을 발간 한 적이 있었다. 국비로 93,210,000원의 예산을 지원받아 학교건강증진사업, 장애인을 위한 건강증진사업, 대체의학을 이용한 건강증진사업을 했던 기억이 난다. 그 당시에 처음 있는 일이라 상당히 시민들에게 관심을 많이 받았다.

포항MBC에서 '특급이야기쇼'에서 출연 섭외가 들어왔다. 그러나 공직자는 방송에 나갈 수 없다고 말하고는 시장님께 보고를 드렸더니 '홍보하고 오면 되지?'라고 말씀하셨다. 그 당시 지역 방송의 역할이 대단했고 그때도 방송 광고비가 꽤 비쌌는데 1시간 정도 출연을 광고비로 산정하니 어마어마한 액수였다..

건강한 경주라는 주제로 재미있게 방송을 했던 기억이 난다. 단 한 번의 NG도 없이 출연료로 144,000원을 받았다. 그 방송을 통해 여기저기서 방송에 소질이 있다는 말을 들은 걸 보니 아마 어릴 적 나의 꿈이기도 했던 잠재적 방송기질이 그때 발휘되었던 모양이다.

꽤 젊은 보건소장이라 그런지 사람들의 관심이 너무 많았다. 그날 이후 홍보가 얼마나 중요한지 알게 되었다. 그때 '홍보하고 오면 되지'라고 하신 시장님의 말씀으로 계획을 세울 때부터 홍보계획까지 세워야 한다는 것을 그때 다 배웠던 것 같다.

공공사업은 많은 사람들이 관심을 가져주어야 완성되는 사업이다. 혜택을 받을 당사자들이 많이 알아야 완성되는 사업인데 방송의 힘이 얼마나 큰지 그때 알았다. 모든 사업을 할 때마다 사업 대상자들에게 골고루 혜택을 주기 위해 노력을 하면 질 높은 공공사업을 만들 수 있다는 걸 알게 된 것이다.

선도사업, 시범사업 등 이름을 바꾸어 가면서 대한민국의 보건사업은 언제나 나의 손을 거쳐 갔고 이런 많은 사업이 성과로 이어지자 2012년에는 감염병 관리로 대통령 표창을 받기도 했다.

방송에 대한 관심은 방송 출연만이 아닌 지역방송인 대구 TBC 시청자 위원으로 위촉이 되면서 직간접적으로 좋은 프로그램을 만들기 위한 고민을 함께 하기도 했었다. 좋은 프로그램을 만드는 것은 사람들의 시선을 고정하는 것, 방송도 의료원과 마찬가지로 현장은 언제나 리얼하고 보이는 부분보다 보이지 않는 부분이 더 많았다.

주어진 한정된 시간 내에 프로그램을 만들어 의사를 전달하는 게 얼마나 고난도의 힘이 필요한지 끊임없이 노력하는 PD나 방송작가들을 보면서 치열한 응급실 같다는 생각이 들었다.

위원 활동을 하면서 어떤 방송도 일회성으로 흘려버릴 수 없게 만드는 의무감은 위원들과 다양한 주제로 많은 토론을 하고 기회가 주어질 때마다 나의 목소리를 내며 많은 의견을 피력하기도 했다. 특히 지역민에게 제대로 된 유익한 건강 정보를 전달할 것을 2년 내내 주문했던 것 같다.

코로나19로 국민들이 문자메시지를 받고 있는 것도 통신체계를 이용한 정보 전달의 유익함이다. 어느 한 쪽으로 기울어지지 않는 형평성과 정의로워야 하는 방송을 통해 전달된 정보를 시청자가 공유하고 국민에게 즉각 흡수될 수 있게만 한다면 그것은 공익방송의 역할을 제대로 해내는 것이라 할 것이다.

지금은 유튜버 시대, 좋아하는 분야의 프로그램을 만들어 흥미로운 방송을 얼마든지 만들 수 있는 여건이 되어 있는 지금, 동시대를 살고 있는 오프라 윈프리 같은 앵커가 되고 싶었던 어릴 적 꿈이 꿈으로 끝나지 않고 언젠가는 이루어질 날이 있을 거라는 바람은 현재진행 중이다. 아니 어쩌면 이젠 좋은 프로그램을 기획하고 운영할 수 있게 하는 책임자 역할이 더 빠를지도 모르겠다.

나를 치유케 하는 것들

정신과 상담보다도 스스로 치유하는 방법으로 난 음악을 들었다. 바흐는 나를 다른 사람으로 태어나게 만들었고 수많은 팝송을 들으면서 가사 속에 들어있는 삶을 이해했다. 어떤 장르를 들어도 그 음악이 만들었던 스토리에서 삶을 느꼈다.

니체가 음악 없는 삶은 무의미하다고 했듯이 감정이 몰아칠 때 음악의 선율에 따라가다 보면 언제나 평온이 기다리고 있었다. 어머니의 따뜻한 손길처럼 영혼의 아픔을 쓰다듬어 주듯 바흐의 음악은 나에게 많은 안식을 내어 주었다. 하루를 시작하는 시간부터 잠드는 그 순간까지 어쩌면 늘 가까이서 나와 함께 했었다.

나의 본질을 유지 할 수 있었던 것은 아마도 주옥같은 명곡과 함께였기 때문일 것이다. 사랑하는 사람의 마음이기도 했으며, 가장 자상하게 보듬어주는 어머니의 따뜻함 같기도 했다. 음악과 함께하는 출근길은 혼자만 누리는 호사스러움으로 하루를 열었다.

혼자 있는 많은 시간에는 고전을 읽었다. 전쟁이 가져다주는 수많은 아픔 속에서도 인간과 자신을 찾아다닌 수많은 글을 읽으면서 나 자신을 이해하고 받아들였다. 내가 더 아프고 슬픈 이유도 책에서 찾았다. 더 고독하고 외로운 것은 생각이 많은 한 인간이기 때문이라는 사실도 너무 일찍 알아버렸다.

세상이 아무리 소용돌이쳐도 흔들리지 않는 자신이 있다면 아무런 문제가 되지 않고, 세상이 아무리 평화로워도 흔들리는 자신이 있다면 그

평화는 아무런 힘이 되지 않는 사실들을 깨우쳐 나갔다. 더는 갈등하지 않았다. 그대로 자신을 받아들인 이후에는 그 어떤 어려움도 없었다.

수많은 시간이 놓여있는 그 곳에서 오직 행복한 자신을 꿈꾸었고 난 나의 길을 찾았다. 그 어떤 것도 내가 문제라고 하지 않았고, 문제라고 강요하는 일도 단 한 번도 없었다. 부족한 나 자신을 받아들이는 일이 힘들었지 받아들이고 난 이후에는 난 너무 자유로운 자신을 발견했다. 그 자유로움은 나의 꿈을 향해 조금씩 나아가는 힘이 되었고 스스로를 위로할 줄 아는 인간으로 성장하게 되었다. 멋진 일이다.

자동차, 내 길의 동반자

처음으로 부모님이 사준 차는 맵시자동차였다. 자동차는 나의 삶의 지평을 넓혔다.

친구들은 버스를 타고 다녔다면 난 자동차로 온 곳을 돌아다녔다. 어쩌면 많은 곳을 헤매고 다녔다는 말이 맞을지 모르겠다. 의과대학의 공부가 그리 쉽지만은 않았다. 머리만 있어도 안 되고 체력도 따라줘야 해낼 수 있었다. 그러니 언제든 스트레스가 쌓이면 차를 몰고 나와 전국 어느 곳이든 차로 갈 수 있는 곳이라면 어디든 달렸다.

자동차는 내겐 단순한 이동 수단만이 아니었다. 불편한 다리의 부족한 기동력을 끌어올려 주는 다리였고 사고의 트라우마에서 벗어날 수 있게 한 치료 동력이기도 했다. 상처는 그 상처와 맞섬으로써 치유될 수 있는 것처럼 자동차는 나의 고통에서 벗어나 동반의 길을 따라 나섰다.

모든 용돈은 자동차 기름값으로 썼던 기억이 난다. 친구들과 불령계곡에 갔다가 자동차와 계곡에 빠지기도 했다. 그 때는 어떻게 차를 견인하는지도 몰라 트렁크 문을 열고 소달구지로 차를 건졌다. 트렁크가 늘어나는 바람에 문이 닫히지 않아 노끈으로 문고리를 묶어 집으로 온 기억이 있다. 기름이나 넣어 다닐 줄 알았지 자동차에 대해 아는 것도 없이 차를 타고 다녔다.

지방도로가 얼마나 잘 포장되어 있는지 어디나 고속도로 못지않게 안전하게 운전할 수 있어 좋았다. 도로로 보이는 곳은 다 들어가 봤을 것이다. 작은 시골길을 드라이브 하는 것도 재미를 더했다. 작은 마을들이 있는 곳으로 들어가 마을을 구경하고 잠깐 차에서 내려 산책하는 것은 또 하나의 즐거움이었다.

사통팔달로 뚫린 고속도로와 지방도로는 나의 놀이터였다. 조금 일찍 길을 나서면 이곳저곳을 다 둘러볼 수 있다. 길에서 만난 사람들이 얼마나 열심히 살아가는지를 보는 것도 재미를 보탰고 시골길 논두렁에 심어진 콩을 보면서 한 톨도 놓치지 않으려는 농부의 마음을 읽기도 했다. 부지런한 모습에서 기본을 배웠고 때를 놓치지 않고 자연의 시간을 적절하게 심는 농부의 모습에서 겸허함을 배웠다. 그저 얻어지는 것은 하나도 없었다. 누군가는 이토록 삶의 열정을 논두렁에서 보여주는데 가만히 앉아 머리로 하는 일을 게을리할 수 없었다. 삶을 압박하는 것은 그 누구도 아닌 나 자신인데 이른 아침 출근길은 나의 마음을 다스리는 아주 귀한 시간으로 쓰였다.

자동차와 함께 나의 일상을 지켜준 또 하나가 있는데 그것은 음악이다. 내게 가장 좋아 하는 일을 꼽으라면 누가 뭐라 해도 당연히 드라이브하면서 듣는 음악 감상이다. 출근길에는 주로 클래식을 듣고 퇴근길에는 오래된 팝송을 듣는다. 몇 곡만 들으면 100km 정도는 가뿐하다. 음악이 없었다면 어쩌면 운전을 하는 즐거움이 덜했을지도 모른다.

고스란히 혼자 남은 시간과 공간 속에서 내게 힘이 되어준 것이 음악이었다는 것을 누가 알 수 있을까? 나에게 주어진 운명 같았던 어려운 시간들을 가장 냉정하게 선택할 수 있게 해준 음악이 있기에 출근길 드라이브는 그 무엇과도 바꿀 수 없는 소중한 시간이 된다.

길 위에서 보내는 시간이 많다 보니 아마도 스트레스가 쌓일 새가 없는 것 같다. 사계절 자연을 벗 삼아 다니는 것도 너무 즐겁다. 특히 여름은 오후 5시에 퇴근하면 8시 넘어서까지 여전히 환해서 저녁노을을 친구 삼아 늘어선 가로수 길을 드라이브하자면 스트레스는 바람에 날아가고 심박동 같은 리듬은 가슴에 박혀 영혼을 치료한다.

이번 코로나19로 어수선한 시간 속에서도 자동차 드라이브는 수많은 아이디어를 만들어냈고 그 시간이 얼마나 나에게 힘들고 어려웠는지를 함께 해준 음악은 결정을 위한 배경이 되어 내가 최선의 선택을 할 수 있도록 도와주었다.

그대를 만나고

모임에서 한 남자를 만났다. 그날은 경주의 힐튼 호텔에서 몇 명의 지인들과 점심을 먹고 가볍게 환담을 나누는 자리였다. 동문들이 많아서 선후배들이라 서로에 대해 알려고 한다면 다 알 수 있는 그런 자리였다. 대학 동기인 명숙이도 그날 모임에서 한 선배에 대한 이야기를 나누고 있었다. 무슨 이야기가 오갔는지는 지금 생각나지 않는다. 여하튼 즐거운 모임을 끝내고 각자가 자신의 집으로 돌아갔다.

그 다음날 사무실로 전화가 걸려왔다. 그 선배가 한 번 더 만나고 싶다고 해서 이유를 물어보았더니 지갑을 잃어버려서 찾으러 가는데 잠깐 내 근무하고 있는 곳으로 가도 되냐고 했다. 아무 생각 없이 누구든지 올 수 있는 곳이라고 했었고 그는 오후쯤 들리겠다고 했다.

그날 난 약속이 있었다. 같은 병원에 근무했던 소아과 선배가 집을 구한다고 해서 같이 가주기로 했던 것을 깜빡 잊고 있었다. 어쩔 수 없이 셋이 같이 가게 되었는데 다행히도 선배님이 집을 잘 구해서 우리는 자연스럽게 점심을 먹으러 갔다. 시원한 감포 바닷가에서 회를 먹고 자동차로 돌아오는 길에 선배님께서 뜬금없이 자신의 이야기를 하기 시작했다.

가난한 농부의 아들이고 형제 중에 막내고 부모님은 연로하셔서 자신에게 그 어떤 기대도 관심도 없다고 했다. 왜 이런 이야기를 내게 하는지 모른 채 그냥 듣기만 하면서 이야기하는 것을 좋아하는 선배님 정도로 생각했다. 헤어지면서 전화번호를 가르쳐달라고 해서 왜 그러시냐고 했더니 선배가 후배 전화번호 물으면 안 되냐고 했다. 생각해보니 그럴듯도 하여 그냥 전화번호를 알려 주었다. 호감이 없었다면 전화번호를 드리지 않았을 것이다. 즐거운 점심이라고 생각을 했었다.

그날 이후 잊고 있었다. 그렇게 몇 주가 지난 후에 우리 집 앞으로 오고 있다는 선배의 전화가 왔다. 무슨 일인지 궁금하기는 했지만 묻지 않고 기다렸다. 같이 드라이브 가자고 해서 차를 타고 갔다. 사귀자고 했고 나와 결혼하고 싶다고 했다. 몹시 불편했다. 만난 지도 얼마 되지 않았지만 난 애초에 결혼에 대한 생각은 하지 않고 있었다. 그냥 넘길 문제는 아니었다. 그 때부터 결혼에 대해 많은 생각을 하게 되었다. 무엇보다도 내가 짊어지고 가야 하는 것을 같이 짊어지겠다고 하는 선배의 마음은 알아도 결혼하는 자체는 단순한 문제가 아니었다.

혼자 살아도 충분할 만큼 직장도 있고 불편한 몸으로 아이를 낳아야 한다는 부담을 가지고 싶지 않았다. 단순히 구질구질하게 자신을 드러내야 하는 순간을 맞이하는 것이 막연한 부담으로 결혼 자체를 할 생각이 없었던 것이다. 선배님도 나의 그런 마음을 알게 되었는지 더 이상 내색을 하지 않았지만 친구들에게 나에 대한 여러 가지를 물어보고 나름 결론이 선 어느 날 결혼하는 데 아무런 문제가 될 것이 없다고 했다.

하지만 난 자신이 없었고 결혼은 둘만의 문제가 아니니 부모님께서 찬성하지 않는 결혼은 할 수 없으며 나 자신을 굽히면서까지 결혼을 허락 받는 일은 없다고 잘라서 말해 두었다. 몇 번 만나지도 않았는데 결혼을 하자는 것이 부담스러웠다.

어머니께 이러한 내용을 조용히 말씀 드렸다. 그런데 어머니 생각은 달랐다. 어머니께서는 생김도 반듯하고 사람도 착실해 보이고 하니 결혼을 생각해보라고 하시면서 한 말씀을 더 보태셨다. 의사에다 대학 선배이며 뭘 숨기는 것도 아니고 너를 너무도 잘 아는 사람인데 뭘 망설이냐고, 결혼을 해서 못살게 된다면 그때 생각하면 되지 하지도 않고 두려워하는 것은 아니라면서 결혼 얘기에 너무나 반색을 하며 좋아하셨다.

어머니의 조언 때문이었는지 조금씩 마음을 열어가고 있을 때 선배님의 생일이 다가 왔다. 선배님은 문경에서 공중보건장학의를 하고 계셨다. 대구백화점에 들려서 선물을 정성껏 골랐다. 지갑과 멋진 와이셔츠를 사고 장미꽃도 한 다발 준비해 문경까지 차를 몰고 가 직원들과 자주 다니는 식당에서 생일을 축하하며 즐겁게 하루를 보냈다.

그때 내가 사준 지갑은 결혼하고도 거의 10년을 더 들고 다녔다. 얼마나 아끼면서 사용하는지 사준 내가 다 고마웠다. 몸에 배인 아끼는 마음을 나는 늘 배우고 모든 것을 소중하게 생각하는 사랑 많은 사람이라는 것을 느낀다.

생일 축하를 하고 한 동안 소식이 없더니 몇 달이 지난 어느 주말 저녁에 대구 누나네 집에서 살고 있는 선배에게서 연락이 왔다. 대구에서 만나자고 해 그냥 영화나 보고 밥이나 먹는 일반적인 데이트라 생각하고 평소 입던 대로 대구에 갔었다. 선배님의 차를 타고 이동을 하는데 차는 시내가 아닌 아주 시골길을 달리고 있었지만 굳이 어디를 가느냐고 묻지 않았다. 달리는 내내 흐르는 음악이 좋았고 시골길 드리이브도 좋았기 때문이다. 한참이나 달려 어느 파란 대문집 앞에서 차는 멈췄고 그때야 비로소 여기가 어디냐고 물었더니 자기 본가라고 했다.

대문을 열고 들어서자 바로 입구에 물이 한가득 들어있는 세숫대야가 보였는데 그 세숫대야를 넘어 오라고 했다. 나중에 안 것이지만 한가득 물이 담긴 세숫대야를 넘어간다는 건 모든 불운을 건너 새로운 길로 접어든다는 의미라고 한다.

한참 동안 연락이 없었던 이유는 부모님께 결혼 허락을 받기 위해서

였단다. 선배님 댁에서는 그 누구도 우리의 결혼을 반대하시는 분이 없었다. 연로하신 아버님께서 '너희들의 선택이니 잘 살아라'는 말씀 그게 다였다. 젊음은 일장춘몽이라고 마음 맞추어 잘 살라고 하셨다. 어른들 나름의 반대가 있을 것이라 생각했는데 선뜻 허락하시는 것을 보고 나는 너무 의외여서 많이 놀랐다.

결혼을 하고 나서 한참 후에 알았다. 선배가 집에서 결혼 문제로 가족회의를 했고 나와 결혼하지 않으면 평생을 혼자 살겠다고, 다시는 결혼이란 것을 말도 하지 말라고도 했고, 반대하는 결혼은 애시 당초 할 생각이 없다는 나의 뜻에 따라 모든 것을 설득한 후 날 데리고 간 자리였다는 것을.

반대가 무서워서 결혼 생각조차 하지 않았는데 이렇게 아무 일도 없다는 듯이 순조롭게 결혼을 하는 것도 다 내가 복이 많아서란다. 결혼 하는 것이 생각처럼 그렇게 어렵지 않다고 느낀 것은 순전히 그 사람의 배려 때문이었다. 얼마나 성숙한 사람인지 나중에 알았다. 나의 불편함을 드러나지 않게 많은 배려를 했던 것을 ...

평생 살아가면서 가장 감사하는 사람은 남편의 아버지이자 우리 아이들의 할아버지시다. 단 한번도 싫은 내색을 하시지 않으셨다. 어머님도 마찬가지였다. 충분히 말씀을 하실 것들도 많았는데 그 어떤 것도 말씀을 하지 않으셨다. 어머님께서는 자주 너는 뭐든 말을 하면 '예'밖에 모르냐고 말씀하시기도 했다. 무엇이든 다 할 수 있었음에도 무조건 '예'로 대답하는 것에 아마도 어머니는 마음이 쓰이셨나 보다.

시골 생활을 해보지 않아 잘 적응하기 어려웠지만 부모님을 존경하는 마음은 지금까지 변함이 없다. 시어머님 음식솜씨는 일품이셨다. 고들빼

기김치를 잘 먹는다고 시댁에 갈 때마다 맛있게 담가 주시고 콩잎을 가지고 만들어 내시는 콩잎반찬은 또 얼마나 일미였던지...그 때는 너무 바쁘게 사느라고 중요한지 몰랐는데 지금 생각해보니 얼마나 중요하고 소중한지 알 것 같다. 그때 시어머님께 많이 배워두지 못한 아쉬움도 크다.

시간이 얼마나 잘 지나가는지, 어느 날 보니 드레스를 입고 있는 내 앞에 선배님이 계셨다. 결혼 날짜를 정하니 일사천리로 모든 게 진행되었고 고민할 새도 없이 이미 결혼식이 진행되고 있었다. 이제 그를 통해 세상과 소통해야 하는 시간이 내 앞에 다가오고 있었다.

결혼식 날은 아버님 75번째 생신날로 정해졌다. 31평 아파트를 반반씩 부담하여 신혼집을 전세로 구했다. 친정에서는 아들을 하나 얻었다고 아주 많이 좋아하셨고 아이들이 태어나면서 우리는 친정 부모님과 함께 살았다. 둘 다 직장생활을 계속해야 하니 살림과 아이를 돌봐줄 누군가가 절실히 필요했기 때문에 부모님께 부탁을 드리지 않을 수 없었다.

부모님과 함께 사는 것이 쉽지 않을 것이라 생각 했지만 현실은 그렇지 않았다. 서로를 배려하면서 가능한한 모든 것들을 의논하며 지금껏 잘 살 수 있었던 것은 어느 것도 따지지 않는 남편의 특별한 배려 덕분이었다는 것을 잘 안다.

명절날 시댁에 갈 때마다 친정엄마는 한 가득 트렁크를 채워주셨다. 언제나 부족한 듯 시댁어르신께 잘해야 한다며 부모 봉양에 소홀함이 없어야 한다고 늘 말씀하셨다. 친정어머니의 이런 말씀은 언제나 내 마음에 새겨 있었던 것 같다.

시어머님의 건강이 안 좋아져서 우리 집에 오시게 될 때 난 시어머님에 대한 연민의 정을 느끼지 않을 수 없었다. 어떤 이유도 달지 않고 나를 가족으로 받아 주신 것처럼 치매로 인해 막내아들이 모셔오는 시어머님을 나 또한 시어머님이 그리 하셨던 것처럼 받아들이게 되었다.

어려운 모든 일은 마음 좋은 우리 남편의 몫이 되어 있어 미안한 마음에 힘들지 않냐고 말을 건네면 '이 모든 것이 살아가는 것이고 일상으로 보면 아무것도 아니다'라며 힘들지 않다 이야기할 때마다 미안함과 고마움이 교차한다.

나와 결혼해줬다는 이유만으로 난 더 열심히 살았다. 나를 믿어주는 반쪽의 선택이 틀리지 않았다는 것을 보여주기라도 하듯이 최선을 다해 열심히 살았다. 아기는 없어도 좋다고는 했지만 실림 밑천이라는 첫 딸을 얻었다. 딸은 남편의 사랑을 듬뿍 받으면서 건강하게 자랐고 5년 터울로 둘째를 낳고 나니 남편이 내게 말했다.

"귀한 아이 둘 낳아준 당신께 감사해, 나에게 해줄 선물은 다했으니 이제는 당신이 하고 싶은 그 어떤 것도 다 해도 좋아"라고 했다. 두 아이를 안겨준 것만으로도 행복해 하는 남편을 볼 때마다 누구나 다 낳는 일을 저렇게도 귀하게 생각해줘서 많이 감사했다.

아이들은 남편이 다 키웠다. 난 그저 내 일하는 재미에 푹 빠졌지만 그 어떤 것도 우리에게 문제되는 것은 없었다. 서로 존중하면서 최대한 배려하면서 살았다. 아이들로 인해 성가신 일도 없었다. 우리 어머니와 아버지께서 이쁜 손자 손녀를 사랑으로 키우셔서 구김살 하나 없는 아이들로 자랐다. 공부도 다 잘해서 딸은 미국에서 유학을 하고 한국으로 돌아와서 열심히 자신의 삶을 충실히 살고 있고 아들은 포항과고를 나와서 컴퓨터 공학을 공부하다가 현재는 대체 군복무로 산업체에서 근무 중이다.

두 아이가 건강하고 어려움도 잘 견디는 것은 아빠의 사랑을 듬뿍 받아서일 것이다. 어떤 어려움도 잘 견디는 것은 살아가는 모습을 몸소 보여준 아빠의 모습에서 사랑을 배운 것이 아닐까 하는 생각이 들었다. 남편의 전폭적인 지원이 없었더라면 나는 직장에서 이렇게 많은 일들을 하지 못했을 것이다. 나의 일을 존중해준 남편이 없었다면...

나의 사랑 나의 어머니

오늘 신경주역에서 나의 이름을 부르는 어머니를 만났다. 팔순을 넘겨 이제 84세이신데 오늘 패션은 평범한 할머니 패션이 아니었다. 시스루 저고리에 딱 어울리는 마 바지에 신발은 샌달로 깔 맞춤을 한 멋진 할머니 모습이었다. 전화하시면 모셔드린다고 했는데 시간도 많고 택시가 잘 데려다 주더라 하시면서 서울에 우리 집 장녀 보러 가신단다.

휴대폰에 사진을 저장해 달라고 하셔서 해드렸더니 친구들에게 자랑도 하시고 잘 다니신다. 지갑을 보자고 했더니 20만원은 비상금으로 가지고 계셨고 택시 타고 가려고 일만 원 권 몇 장은 따로 가지고 있었다. 내 지갑을 열어 30만원을 드리면서 맛있는 것 사드시라고 드렸다. 거절하지 않고 고맙다고 하시면서 잘 쓸게 하신다.

부모님 중에 특히 어머니가 늘 결혼을 말씀하셨다. 내 방문을 여닫으실 때마다 결혼을 종용하시던 어머니의 잔소리와 밀어 붙이는 힘이 없었다면 그런 결정을 하지 못했을 것이다. 아무리 좋다고 해도 그럴 용기는 없었는데 어머니께서 늘 말씀하셨다. 자식이 있으면 살 힘이 생긴다고, 결혼을 해서 꼭 자식을 하나 낳으라고, 그 이후로는 네가 어떤 선택을 해도 괜찮다고 하셨다.

지금 생각해보면 결혼을 안 하려는 자식을 결혼시키기 위해 설득하는 과정에서 우리 어머니처럼 확실한 사람은 아마도 다시는 없을 것이라 생각한다. 어릴 적부터 부모님 말씀 잘 듣는 아이는 어른이 되어도 잘 듣는 게 보통이다. 그렇게 어른이 된다면 자신에게 얼마나 행복한 일인지 살면서 느끼게 된다.

나의 모든 행복은 언제나 어머니의 큰 그림 속에 있었다. 나의 행복의 절반을 어머니께서 만들어 준 것이라 해도 과언이 아니다. 방황하지 않고 제자리에서 사회의 일원으로 잘 살게 만들어 준 것도 다 어머니 덕이다. 나보다 한 세대를 먼저 사시면서 내가 잘 살 수 있도록 좋은 환경을 만들어 주셨다는 것을 요즘 더 느낀다.

어머니께서는 두 아이들과 남편을 위해 우리집 근처에서 아이들이 다 클 때까지 돌봐 주셨다. 그 아이들이 커 얼마 전 딸은 결혼을 했고 그 딸 부부의 모습을 보니 행복해지는 나를 보며 생각했다. 어머니도 우리 부부를 보시며 이렇게 행복하셨으리라.

어머니는 나를 언제나 바람 앞에 등불처럼 위태롭게 생각하고 깨어질까 안절부절 못하실 때가 많았다. 그런 어머니의 시야에서 벗어나는 일은 어려웠지만 관심에서 멀어질 묘안들은 많았다. 아무 생각 없는 것처럼 공부만 부지런히 하는 모습으로 일관되게 생활하다 보니 어머니의 관심이 내게서 멀어져갔다.

해방되기 위한 나의 작전은 꼭 들어맞았다. 어머니는 내가 더 이상 고민하지 않는다고 생각을 하신 것이다. 직장을 잡았고 경제적인 독립도 가능하니 부모님께 기대어 살고 싶지 않았고 관심보다는 자유가 필요했던 내게 독립을 허락하셨다.

드디어 나는 바라던 독립을 하면서 어머니 관심 속에서 벗어났다고 생각했다. 설령 내 스스로는 많은 고민을 하고 살았지만 어머니가 보실 때는 고민 같은 것은 하지 않는 사람으로 보일만큼 늘 조용하게 행동을 줄이면서 어머니를 안심시켰다고 생각했다.

그러나 내가 아이를 낳고 엄마가 되어보니 나의 조용한 행보에도 어머니는 나의 일거수일투족에 눈과 귀를 열고 숨죽이며 고통을 감내하셨다는 것을 알았다. 아이들의 기침소리에도 마음 졸이던 나를 보며 어머니를 생각하게 된 것이다.

내가 살아야 하는 이유를 어머니에게서 찾았다면 이해가 될까? 최소한 나만큼은 생명을 주고 거두는 것에도 내 어머니는 관여할 자격이 있다고 생각된다.

'그냥 숨만 쉬어라' 이 짧은 한 마디로 나를 잡은 어머니, 그 어떤 조건도 숙제도 없이 나 스스로 세상에서 살아야 할 이유를 찾게 만든 분, 어머니는 너무나 나를 잘 알고 계셨다. 내가 사랑하는 사람에게 슬픔을 심어주는 것은 본질적으로 나에게 어울리지 않다는 것을.

나는 우리 집에서 셋째로 태어났다. 장녀는 장녀로서의 대우를 받았고, 아들은 아들로서 대우를 받았다면 난 그냥 있는 미미한 존재였다. 그러나 그건 나의 부족한 생각이었다는 것을 알게 된 일이 있었다. 어느 날 어머니 친구 분들과 우리 집에서 계모임을 하시다가 친구 분들에게 흐뭇하게 내놓는 어머니의 자랑거리가 무엇인지 알게 된 것이다. 그것은 나의 1등 성적표였다.

미미한 존재가 아닌 어머니의 자랑거리가 된 나는 그 어린 나이에도 1등을 해야 하는 이유가 분명했다. 단 한 번도 1등이 아닌 성적표를 가져다 드린 적이 없다. 1등으로 사랑을 받았다고 하니 조금 불편할 사랑으로 생각될지도 모르나 이미 나는 미미한 존재가 아닌 어머니가 나를 특별하게 생각하신다는 것 자체가 너무 좋았고 언제나 어머니의 희망이 되고 싶었다.

사고가 나고 어깨가 처진 어머니를 보는 것이 가장 곤혹스러웠다. 어머니의 자존심이었던 내가 나로 하여금 괴로워하는 어머니 모습을 보는 것이 참기 어려울 만큼 가슴이 아팠고 견디기 힘들었다. 그렇게 고우시던 얼굴이 너무 나이가 든 모습으로 바뀐 것은 다 나 때문이었다. 고향에서 동네 사람들은 언제나 '저 집에는 세 딸이 있어도 엄마만한 얼굴은 없다'고 할 만큼 어머니는 상당한 미인이셨다. 그랬던 어머니가 나로 인해 늙어가는 모습을 보니 더 아파왔다.

그런 어머니의 주름진 얼굴을 보면서 어머니는 내가 책임을 져야 한다는 생각과 함께 내가 잘 사는 것만이 어머니의 근심을 걷어 주는 것이라 생각했다. '넌 우리 집 장남과도 같다' 입에 달고 사셨던 어머니의 이 말씀은 나를 강하고 책임감 있는 사람으로 다시 태어나게 했고 어머니가 가장 의지하는 자식으로 사는 것이 참 좋았다. 함께 살아가는 세월 동안 어머니의 노후를 내가 보장하겠다는 마음은 너무나 자연스럽고 당연한 것이었다.

어머니는 우리에게 남들보다 더 많은 기회를 만들어 주셨고 누구보다도 나에게는 '뭐든 할 수 있다'고 독려하시는 분이셨다. 자존심 하나로 살아오신 그 세월을 난 너무도 잘 알고 있다. 어떤 새로운 일에 두려움이 없는 것도 어머니의 믿음을 먹고 살아서 그런 것 같다. '너는 잘 할 줄 알았다'는 믿음은 언제나 최선의 선택을 하게 했고 내가 잘 하는 것을 위해 노력을 할 때나 실패를 할 때에도 상관하지 않는 어머니는 언제나 나의 든든한 우군이 되어주셨다.

어머니께 주었던 그 아픔만큼 더 큰 행복을 드려야 하는 것은 내가 충실히 살아가는 모습을 보여드리는 것이라 생각했다. 자랑스러워하시는 모습을 계속 보실 수 있도록 내가 더 열심히 살아드려야 한다. 지금 직장에 열심히 다니는 것도, 싱싱하게 살아가는 모습을 가장 좋아하시는 어머니가 계셔서 노력하고 있는 것이다. 잘 봐주실 때 더 멋진 모습 보여드려야 한다. 내가 우는 모습을 보시면 더 크게 울 사람은 바로 어머니시다. 그러니 울지도 못한다. 어머니를 너무 사랑하니까.

나의 긍정적인 믿음은 어머니가 주신 삶에 대한 보너스다. 그만큼 올곧은 어머니가 계셨기에 나 역시 어긋난 길을 걷지 않았다고 생각한다. 평생을 나의 매니저처럼 사시는 어머니, 내가 어떤 흠도 없이 살아갈 수 있도록 모니터링하며 내 앞에 놓인 문제들을 정리하여 고운 길만 걷게 만드신 어머니, 그 감사함을 어이 다 표현할까.

여든이 넘어서도 아직도 흐트러짐 하나 없는 꼿꼿한 어머니의 모습은 도저히 따라갈 수 없는 영역 같다.

책에서 길을 묻다

독서클럽을 만들어 2주에 한 번씩 모임을 한 지도 3년이 넘었다.

좋아하는 분들과 그냥 만나서 차를 마시고 살아가는 이야기를 하는 것도 좋지만 거기에서 머무르지 않고 한 차원 높여 책을 읽고 그 주제를 가지고 이야기하는 것이 더 시간을 귀하게 쓰는 것이 아닐까 해서 합류한 독서모임이다.

어릴 때부터 책읽기를 좋아했던 나는 어른들이 가르쳐 주지 않는 모든 것을 책에서 배웠다고 해도 맞을 것이다. 사람들은 도서관에서 책을 빌려보는 것을 더 좋아하지만 난 꼭 책을 사서 모으고 어디에 가나 책은 내 손끝에서 논다. 침실은 물론 화장실에서까지...

초등학교 중학교 때는 만화방이 우리 집 근처에 있어서 거의 만화방에 살았다. 시리즈로 나온 것들은 무슨 수를 써서라도 그날로 끝까지 읽었다. 만화는 그림만 있는 것이 아니라 스토리가 있기 때문에 언제나 친구들을 모아놓고 이야기해 주거나 좋은 글귀를 만나면 따라 적어보는 것을 즐겼다.

또래에 비해 어휘력이 좋다거나 말을 잘한다는 이야기를 들었던 것도 모두 만화를 즐겨보았던 때문이라고 생각된다. 성향은 문과인데 수학 성적이 좋아 이과를 선택하고 의사가 되었지만 책을 통해 인문학적 소양을 갖추었을 때 사회생활이나 인간관계에 있어 인성 교육이 잘 되어 있는 사람으로 평가 받는 것이 사실인 것 같다.

언제나 공부가 먼저였지만 시험이 끝나고 나면 밀린 숙제를 하듯 책 속에 파묻히곤 했었다. 생각이 많은 내게 친구들은 문학소녀라 불렀고 친구들의 연애편지를 대필해주었던 추억도 있다. 그랬던 내가 대학을 입학하고서는 책을 읽을 시간이 거의 없었다. 대학생 대부분이 그렇듯이 음악 감상실이나 커피숍에서 팝송을 듣고 친구들과 어울려 노는 재미에 푹 빠져 있으니 자연스레 책과 멀어지는 게 당연했을 것이다.

그러나 나는 책과 함께 해야 하는 운명이었던지 대학 2학년 때 사고로 인해 책은 다시 내 곁에 머물렀고 기숙사에 갇히면서 본격적인 책 읽기를 시작했다. 스물한 살의 젊은 나의 지적 욕구는 크기만 한데 거기에 답을 주는 사람이 없으니 책 속에서 답을 찾기 시작했다. 나에게 일어나는 수많은 질문의 답을 해줄 수 있는 책을 찾아 나선 것이다.

그 당시 '삶과 앎'이라는 내 단골서점이 있었다. 굳이 책을 사지 않아도 얼마든지 마음껏 책을 빌려볼 수 있었던 그때는 책을 읽고 감동에서 벗어나지 못해 책을 돌려주는 것이 너무 아까울 때가 많았다. 학생 신분으로 사고 싶다고 모두 살 수 있는 시절은 아니었기에 그 감동적인 책을 서점에 두고 나올 때의 아쉬움은 사랑하는 사람과 하루 종일 같이 있다가 헤어지는 느낌 같은 것이랄까.

처음 직장을 구하고 마음껏 책을 사볼 수 있다는 것에 너무 행복했다. 아마도 그 때 가지지 못했던 책에 대한 열정 때문이었을 것이다. 내게 많은 위안을 주었고 제 길을 찾아 잘 성장한 것을 보면 분명 책을 지은 사람의 영향권 아래서 나의 뇌가 받아들인 삶의 여정에 필요한 최고의 지식과 지혜를 쌓아 놓았던 것 같다.

오묘하게 펼쳐지는 스토리는 현실에서 있지 않고 경험하지 않고는 절대 쓰여지는 것이 아니라는 것을 알았다. 경험해본 사람이 더 잘하는 것은 당연하듯이 처음 마주친 사람들과의 관계에서도 낯설지 않고 자연스럽게 이해할 수 있었던 것은 모두 책 때문이었다. 작가를 만나고 소설 속의 주인공을 만나고 그를 따라가면서 세상을 배우고 나를 알게 한 것이다.

수많은 철학자, 소설가가 시공간을 넘어 나에게로 와서 스승이 되어 주었다. 그러니 책을 보는 것은 매일 새로운 선생님을 만나는 것과 같았다. 나는 사람보다 인간이 갖게 되는 감정을 책을 통해 알게 된 것이 더 많다. 수많은 캐릭터를 연구하듯이 책 속에서 한 인간을 본다. 무엇이 그를 절망하게 하는지, 무엇이 그를 그토록 분노하게 하는지를.

상처를 이기는 것은 그 상처를 마주하는 힘의 결과에 따라 다르다. 회피했던 마음을 마주 보게 만들어 준 것도 책이었고 부모님을 사랑의 눈빛으로 볼 수 있었던 것도 뇌 속에서 시키는 책을 통한 스승들이 가르쳐 준 이야기들이었다. 나 혼자만 생각하는 것이라고 생각했던 그 모든 것들이 오로지 나만의 생각이 아니었다는 것을 깨달은 것은 뭔가 길을 찾았다는 안도감을 주기에 충분했다.

일이 잘 풀리지 않을 때 난 습관처럼 서점을 간다. 좋은 스승을 만나는 기분으로... 처음 기관의 장이 되었을 때, 조직의 일원들이 꿈꾸는 세상에서 내가 뭘 해야 하는지 알 수 없어 가슴 답답했던 순간에도 난 서점에 갔었다. 리더십에 대한 책을 40권 쯤 읽고 나니 그 답이 나를 찾아왔다. 그 책 속에는 나의 꿈을 이루어 줄 사람도, 나를 성공하게 밀어 줄 사람도 '사람'이라고 가르쳐 주었다.

모두가 나와 비슷한 사람은 없다. 내가 허리를 숙여 그들의 눈높이에서 세상을 볼 때 그들과 함께 갈 수가 있었다. 상대의 입장에서 보는 세상은 내가 생각하는 세상과 너무나도 달랐다. 내가 무엇인가를 할 때 그의 입장에서 생각을 먼저 하지 않으면 안 되는 사실을 인정할 때 가능했다. 난 나의 눈으로, 엄밀히 말하자면 나의 편견으로 세상을 보고 있고 사람들은 그들의 시선으로 보고 있기 때문에 언제나 조율이라는 과정이 필요하다는 것을 알게 된 것이다.

책은 스스로 사는 법을 가르쳐 주었고 그렇게 난 마음의 평온을 얻었다. 상처받지 않고 사는 법을 조금은 터득했다고나 할까? 어쩌면 더 잘 살기 위해 많은 것을 배우고 노력한 탓에 먼저 행복한 법을 알아갔는지 모른다. 있는 대로 받아들이고 난 후에 행복해진다는 것을 알게 됐을 때 욕망이 어떻게 자신을 무너뜨리는지도 알게 된다.

처음엔 깨우치는 속도가 아주 더디었지만 지식이 쌓이자 판단하는 시간은 점점 줄어들었다. 이제는 꼭 저울로 재지 않아도 꼭 그 함량만큼 담을 수 있을 것 같다. 무조건 쓸어 담듯이 읽었다면 이제는 쓰레기 같은 지식을 좀 덜어내면서 담는다고 봐야겠지. 다 보지 않아도 핵심을 체크하는 나만의 방식이 생겼다고 해도 좋겠다.

책 속에서 만난 수많은 사람들을 동질감을 느끼며 좋아했던 내가 이제는 그 사람들의 그림자를 흉내 내고 어쩌면 이리도 복잡한 세상 속에 유유히 살아가는 법을 배웠는지 신기하기도 하다. 이도 모두 스승인 책 속에서 배운 것이리라.

세상에 태어나 잘한 일 중 하나

할 수 있는 운동이라고는 별로 없는데 골프는 나에게 특별하다. 걸어야 살 수 있는 나를 걷게 해주는 골프, 한 홀 한 홀 홀컵에 공을 넣을 때마다 승부욕을 제대로 자극하는 재미있는 운동이자 고마운 운동이다. 10km를 걸어 가라고 한다면 차를 타고 가자고 떼를 쓰겠지만 골프를 치면서 걸으라면 울면서도 걸어 갈 수 있을 것이다.

세상에 태어나서 잘한 일 몇 가지를 꼽으라면 그 중 하나가 골프를 배운 일이라고 말한 적이 있다. 다른 사람은 몰라도 내가 할 수 있는 운동 중 흥미롭고 지속적으로 가능하면서도 성격에 딱 맞는 운동이 골프이다. 게임을 좋아하는 것은 아니지만 골프만큼은 지고 싶지 않다. 갤러리가 있으면 더 신이 난다. 이제는 나이가 들어 비거리도 줄었지만 친구들과 치는 데는 문제가 없다. 팔이 워낙 튼튼해서 아직 문제가 되지 않는다.

한여름 밤, 오징어잡이 배의 환한 불빛이 내려다보이는 감포 제이스 CC에서 친구들과 밤 12시가 되는 줄도 모르고 골프에 빠져 8번 홀을 쳤다. 불빛이 대낮을 방불케 해 그라운드 위에서는 얼마든지 공을 찾을 수는 있지만 조금만 풀숲으로 들어간 공은 찾을 수가 없다. 카트를 타고 내려와 내 공을 찾았다. 홀컵과의 거리가 약 1미터 정도 떨어진 버디 찬스였다. 그동안 몇 번의 버디 찬스에서도 파로 만족해야 했다.

단 한 번도 버디를 해본 적이 없었다. 그날따라 공은 시원하게 쭉쭉 뻗어나갔다. 골프에 한창 물이 올라 밤낮을 가리지 않고 기회만 있으면 새벽이든 한밤이든 운동을 하러 다닐 때라 아무 생각 없이 시원하게 퍼터를 밀었는데 쏙 말려들어가는 느낌이었다. 버디였다. 내 생애 처음으로 하는 버디였다. 잊을 수가 없다.

한밤인 줄도 모르고 나를 골프에 입문시킨 교주(?)님께 전화를 걸었다. 드디어 해냈다고 버디라고! 잘 했다고 하시면서 넌 잠도 없냐고 하셨다. 아뿔싸! 너무 좋아 흥분한 나머지 나처럼 좋아하리라고 생각했는데 주무시다가 난데없이 나의 전화 벨소리에 잠을 깨운 것 같아 얼마나 미안한지 지금도 얼굴이 화끈거린다. 그만큼 좋았다.

92년 가을 어느 날 지인을 따라 우연히 골프 연습장에 가게 되었다. 골프를 배울 생각으로 갔던 것이 아니라 잠깐 누굴 만나러 갔었는데 기다리는 동안 골프 연습장 사장님께서 7번 아이언을 주시면서 연습을 해보라고 하셨다. 어떻게 하면 되냐고 물어 보니 클럽 쥐는 방법을 가르쳐 주셨다. 워낙 운동을 좋아하기는 했지만 골프는 처음이라 클럽을 잡는 것이 쉽지는 않았다.

몇 개의 공을 쳐보니 할 수 있을 것 같아서 사장님께 이것저것을 물어보니 골프 프로를 소개시켜 주셔서 골프 테스트 날짜를 잡았다. 하체가 튼튼해야 골프를 치는데 다리가 불편한 내가 골프를 칠 수 있을지 테스트를 받아보고 연습장을 다니기로 했다. 골프 프로를 만난 날, 그의 말 한

마디에 거금을 들여 골프채를 구입과 동시에 연습장 한 달 이용권을 끊었다. 그가 했던 말은 '골프 선수 할 것 아니니 친구들과 즐기면서 골프하기에는 부족함이 없다'는 말이었다.

필드에는 한 번도 나가보지 못하고 그렇게 연습만 하던 중에 임신으로 인해 너무 피곤해지니 골프를 그만 둘 수밖에 없었다. 출산을 하고 나서는 다시 매년 1-2월은 골프 연습장에 다닌 것으로 기억된다. 그렇게 몇 년을 더 다니다 둘째를 낳고 그 다음 해부터 본격적으로 골프를 시작했다.

골프는 혼자 하는 운동이 아니므로 골프 조가 좋아야 오래 할 수 있는 운동이다. 운동만 하는 게 아니라 거의 일상도 공유할 만큼 가깝지 않으면 오래 하기가 어렵다. 친구들을 잃어버리면 또 한동안 쉬었다가 조가 만들어지면 뻔질나게 골프 스케줄을 잡았다. 일이 많아 시간을 내기 어려울 때는 새벽 4시부터 9홀을 돌고 샤워할 시간이 없어 바로 출근도 불사하는 눈물겨운 골프사랑이 있었다.

대학친구들 골프모임에 대타로 초대 받은 적이 있었다. 내가 다리를 다친 후로 아무도 내가 골프를 치는지 몰랐는데 열심히 떠들고 다녔더니 나를 부른 것이다. 폼은 별로였지만 공만은 잘 쳤다. 장타에다 숏 게임이 일품인 걸 보니 구력이 느껴진다고 했다. 4년 전 대학 동기로 골프 팀을 구성해서 매월 한 번씩 운동을 하는 것이 유일한 즐거움이라면 즐거움이었는데 지금은 시기가 시기인 만큼 엄두도 못 내고 있다.

관사에서 청소를 하다가 넘어져서 좌측 대퇴부 골두 골절로 수술을 받았을 때 골프를 못 칠까봐 제일 걱정이었다. 다행히 수술이 너무 잘 되어 수술 후 다시 골프를 칠 수 있어서 행운이라 생각한다. 1월에 수술을 받고 재활을 하면서 8월에 처음 골프를 하고 9월에 두 번째로 나간 필드에서 인생에서 한 번하기도 어렵다는 홀인원을 했다. 8번 홀에서 5번 우드로 시원하게 때린 공이 120미터의 홀컵으로 들어 간 것이다.

홀인원은 생각도 못하고 공이 뒤로 넘어간 줄로만 알고 뒤만 찾아다니다 아쉬움에 돌아섰는데 홀컵 안에서 나를 기다리고 있던 공을 보면서 좋아했던 그날의 기분은 아직도 생생하다. 동기들을 전부 불러서 홀인원 기념 골프를 쳤던 일도 추억이고, 그날 남산 송이로 저녁을 맛있게 먹었던 일도 멋진 추억으로 남았다.

그해 내내 기분이 좋아서 기념으로 준비한 티이틀리스 골프공을 한 줄이 아니라 한 박스씩 나누어 주었던 그 때가 전성기였다. 친구들이 만들어준 14k 골드목걸이를 3년 내내 걸고 다녔다. 홀인원 할 줄을 몰라 보험을 들지 않았던 게 아쉽지만 그래도 기분 좋게 돈도 쓰고 즐거웠다.

매달 마지막 주가 기다려졌다. 푸른 잔디 1번 홀에 서면 지난 스트레스가 어디론가 사라져버린다. 공을 날리는 속도만큼 일주일 동안 쌓인 스트레스도 날아가 버리니, 그래서 난 태어나 잘한 일 중에 하나가 골프를 배운 것이라 말하곤 한다. 인생에 잊을 수 없는 한 줄이 된 홀인원, 비싼 대가를 치른다고 해도 다시 한 번 쳐내고 싶다.

첫눈에 반한 소국 때문에

그림을 배우러 다녔다. 나를 표현하는 방법으로 그림을 배운다는 것이 처음엔 어색했지만 주말마다 서울역까지 KTX를 타고 가서 버스로 갈아타고 한가람 미술관에서 그림을 배웠다. 그 열정으로 치면 뭐라도 끝을 볼만한데 아직도 진행 중이다. 좀 한가해지면 다시 시작해야지 하고서는 바쁜 일상에서 벗어나지 못해 늘 마음속에서만 꿈틀거리고 있다.

가장 가까운 곳에 미술학원을 알아 두는 습관을 가진 것도 여유만 있으면 하고 싶은 것 중에 하나가 그림을 배우는 것이었기 때문이다. 경주 예술의 전당에서 본 펜화는 내가 본 그림 중에서 내가 그릴 수 있는 그림이라고 생각했다. 어느 날 양산 통도사 앞 작은 미술관에서 전시하는 것을 보고 배우고 싶다는 생각은 있었지만 선뜻 나서지는 못했다.

큰마음을 먹고 주말을 이용하여 8주 프로그램을 등록하였다. 준비물만 해도 꽤나 돈이 들었다. 물감, 펜, 지우개, 도화지 등 초등학교 다닐 때 산 뒤로 이렇게 한꺼번에 구입해본 적이 있었던가? 꼬박 8주를 다녔지만 초자를 면하지 못해 실망하고 있었는데 지인 한 분이 나에게 새로운 꿈을 심어 주었다. 모두가 화가가 되는 것은 아니라고, 모두가 자기가 그린 그림을 소장하는 것이 아니니 안 되면 그림을 사서 모아 소장전을 하면 된다는 말에 귀가 번쩍 뜨였다.

처음 그림을 산 것은 첫 직장을 구하고 몇 해가 되지 않은 어느 봄날 문화회관에서 초대작가 전시회에서였다. 소국을 보았는데 첫눈에 반했다. 손00작가의 초기 작품이었는데 한 달 월급을 몽땅 털어 그림을 샀다. 처음으로 그림을 산 것이다. 진료실 벽면에 걸어두고 매일 감상을 하면서 이렇게 보는 것만으로 충분히 그림값은 다 했다고 생각될 만큼 좋았다.

한창 그림에 관심이 많았을 때 '황금도시 경주 전'에 관여한 적이 있었다. 전국의 수많은 유명한 화가들이 경주에 모여 경주를 주제로 그림을 그리고 경주박물관에서 전시회를 개최하게 되어 화가 분들의 뒷바라지를 열심히 해드린 적이 있다. 좋은 작품들이 많이 나왔고 황금도시에 걸맞은 작품들이 그려져서 누군가의 소장품이 되었다는 것만으로도 의미가 있는 전시회였다. 그렇게라도 기획하지 않았다면 경주에 대한 그림이 그려질 기회마저 없었을 것이라고 하니 여간 다행스러운 일이 아니다.

사랑하는 사람이 많을수록 문화는 더 나은 방향으로 나아간다는 생각 역시 지울 수가 없다. 그래서 의료원 1층과 2층 복도의 흰 벽을 김천 화가분들께 내어주기로 했다. 화가들을 초청해 한두 달씩 전시회를 갖는데 벌써 여섯 번째 화가 분의 작품이 전시중이다.

의료원에 화가들의 그림을 전시할 수있는 공간을 마련했다는 것은 여러 가지로 큰 의미를 갖는다. 의료원 복도가 문화공간으로 바뀔 때 지역민과 의료원을 찾는 환자나 직원들에게 시각을 통한 힐링의 시간을 갖게 되는 것이고 열린 공간을 이용한 예술가들의 창작활동도 활발해질 것으로 기대한다.

아드린느를 위한 발라드

출근 길 블루투스로 음악을 듣는 즐거움에 푹 빠졌다. 언제나 첫 번째 곡은 리처드 클레이드만이 연주한 피아노곡인 ' 아드린느를 위한 발라드'다. 나의 휴대폰의 많은 음악들은 인공지능 덕택으로 따로 찾지 않아도 누르기만 하면 듣게 된다. 최애곡이 된 것도 그 덕을 봤다고 해야겠다.

이 곡을 만든 스토리를 들어보면 기가 막힌다. 1976년 프랑스에 사는 폴 드 세느비뉴가 자신의 딸인 아드린느를 위해 작곡을 했단다. 하루에 몇 번씩 들어도 늘 좋은 것은 아빠가 딸을 사랑하는 그 마음이 그 곡 전체에 담겨져 있기 때문일 것이다. 가슴이 따뜻해지고 마음이 한없이 가라앉아 뭐든 할 수 있을 것 같은 느낌이 든다. 버킷리스트를 만든다면 피아노를 배워서 이 한 곡을 다 치고 싶다. 100세를 살 만큼 건강이 허락한다면 시도해 보고 싶다.

내가 어릴 적 살았던 곳은 작은 도시 읍내라서 그 때는 피아노 학원이 없었다. 유치원도 없을 때다. 성당이 한 곳 있었는데 거기에는 피아노가 있었고, 학교 강당에 풍금이 있었다는 게 어렴풋이 생각난다. 중학교에 입학하고부터는 공부 외에는 관심을 가져본 게 없어서 새로운 악기를 배워보기 위한 노력을 해본 적이 없다.

피아노는 초등학교 다닐 때 꼭 배워 두어야 하는 것 중 하나라 생각한다. 두 아이에게 악기를 가르쳐 보니 악기를 배울 수 있는 아이는 따로 있는 것 같다. 꾸준하게 한 곳에 몰입을 할 수 있는 성격의 아이는 자기가 취미로도 수준급의 연주 실력이 될 때까지 연습을 게을리하지 않지만, 호기심이 많고 다양한 곳에 관심이 많은 아이는 연주보다는 운동을 시키는 것이 더 좋을 것 같다.

대학시절 우리가 즐길 수 있었던 취미생활은 영화가 아니면 음악을 듣는 것이 거의 유일했다. 주말에 갈 수 있었던 유일한 곳은 음악 감상실, 그때는 주로 클래식 음악을 많이 들었다. 그것이 멋이었던 때여서 클래식 음악이 뭔지도 모르고 카세트테이프가 늘어질 때까지 듣기도 했다.

요즘은 가장 좋아하는 피아노곡을 듣는 낙으로 살지만 그 때는 듣는 것은 뭐든 가리지 않고 다 좋아했던 것 같다. 오늘 퇴근길에도 차에 오르면 울릴 아드린느를 위한 발라드, 휴식과도 같은 편안함으로 하루의 피로를 풀어 줄 것이다.

프리마돈나 조수미

무대 위의 화려한 프리마돈나 조수미, 불후의 명곡에서 부른 아다지오를 정말 좋아한다. 그녀의 공연을 보러 간 적이 있는데 풍부한 성량으로 노래에 넘쳐흐르는 자신감이 느껴질 때마다, 그녀가 가지고 있는 모든 음악에 대한 열정과 노력을 느낄 때마다, 들을 수 있는 두 개의 귀를 가지고 있는 것에 정말 감사하며 많은 위안을 받았다.

성공한 사람이 가지고 있는 열정과 작은 틈도 허용하지 않는 완벽함을 느끼게 하는 섬세함에서 묻어나는 존중이 듣는 사람으로 하여금 인간의 우월감 같은 것이 느껴진다고나 할까? 그녀의 공연은 타의 추종을 불허한다. 그 공연이 기다려지고 한국에서 보지 못한다면 외국 공연투어를 버킷리스트에 올리고 싶다.

외국생활에서 겪는 지독한 외로움을 이겨내기 위해 연습벌레로 살았고 고생하고도 성공하지 못하면 자신은 바보라고 생각하며 이를 악물었다고 했다. 그녀에게 외로움은 사람을 강하고 지독하게 만드는 것이라 하니 깊은 외로움이 빚어낸 소리에는 마성이 숨어있는 듯하다.

그녀는 사랑의 고통과 외로움 등 모든 감정을 노래로 표현할 수 있게 한 것이 한 남자였다고 인터뷰한 것을 읽어 본 적이 있다. 대학시절 한 남자를 사랑했고 사랑의 열병으로 제적도 당해보았다는데 노력하는 삶이 얼마나 사랑스럽고 매력적이며 또한 자랑스러운지를 말해주듯 매일 자신에게 도전하는 삶이 너무나 멋지다.

유튜브에서 매일 아침 그녀를 만나는 것만으로도 나는 행복하다. 자신이 만족할 때까지, 완성도 높은 음악을 보여주기 위해 단 한 순간도 놓치지 않고 노력하는 모습은 그녀를 사랑하지 않을 수 없게 한다. 그녀가 음악을 통해 사람들에게 위안을 준다면 난 나의 일을 통해 사람들에게 위안과 행복을 줄 수 있도록 해야 되겠다는 생각을 하게 만든다.

어떤 길이든 주어진 길에서 무얼 보고 무엇을 했는지는 자신의 선택이지만 그 결과에서 깊이와 넓이가 다른 것은 선택한 사람의 몫이다. 물론 기회가 다 주어지는 것은 아니지만 말이다. 하지만 기회가 주어진다면 주저하지 않고 그 기회로 나의 삶의 목적을 완성시켜 나가리라. 보이지 않는 섬세함을 오래도록 음미하면서 느낄 수 있는, 시간이 지날수록 진하게 우러나는 차 맛 같은 사람이 되고 싶다.

여행, 낯섦에서 나를 찾는 시간

그토록 오래 한 곳에서 일을 할 줄 꿈에도 생각 못했지만 공직을 선택한 난 반평생을 보건소에서 보냈다. 지나고 나면 알 수 있듯이 그 곳을 선택한 것은 행복하기 위해서였다. 두 아이를 낳고 남편 뒷바라지도 하면서 직장에 다녔다는 사실은 내게 많은 것을 주었다. 삶의 여유도 보람도 가득했던 젊은 날에 많은 시간의 허락은 나로 하여금 많은 경험을 가져다주었을 뿐만 아니라 삶에 대한 의미를 찾는 고마운 시간이기도 했다.

아무 것도 포기하지 않았다는 것은 많은 시간이 지나도 잃은 것이 없다는 것을 의미한다. 나를 제약하는 것은 나 자신이다. 다른 사람에게는 느긋하게 잣대를 대면서 실제로 자신에게는 너무 많은 제약을 하며 산다. 결코 그럴 필요가 없는 데 많은 사람들은 그랬다.

국내를 넘어 스페인으로 자동차 여행을 떠날 수 있었던 것도, 지루함 없이 수많은 시간을 여행할 수 있었던 것도, 좋은 음악들이 함께 있어서 가능했었다. 스페인 여행을 다녀 온 후 다시 프랑스 남부 프로방스로 여행을 떠난 것은 자신을 찾아가는 여행이었다. 여행에서 느낀 시간이 주는 기쁨과 삶의 여유는 내 삶을 더 풍족하게 해주었다.

일 년에 열흘은 부부 둘만의 시간을 아무런 방해도 없이 우리를 알지 못하는 세계로 자동차 여행을 다니는 것, 가장 좋은 친구로서 인생의 동반자로 살아온 두 사람이 함께 하는 미지의 탐구 계획은 자동차와 음악과 함께 일 년 중에서 가장 좋은 시간을 선물로 받은 것과 같았다.

크로아티아 슬로베니아 두브로브니크로의 자동차 여행을 갈 수 있었던 것은 남편과 내가 차를 운전하는 것을 두려워하지 않기 때문에 가능했다. 자동차로 세계를 여행하는 계획을 하나씩 실천하는 재미는 삶의 활력을 더해 주었다. 스페인과 프랑스, 크로아티아로 다닌 경력으로 이제는 또 다른 곳을 꿈꾼다.

네번 째로 정한 곳은 독일의 베토벤을 찾아가는 여행을 계획하고 있다. 코로나19가 세계를 강타한 지금 언제쯤 네번 째 세계여행 기회가 주어질지 모르지만 남편의 스케줄 짜는 재미는 여행하는 것만큼 설레고 재미있는 일이 되었다.

다른 나라에서 접하는 그 나라의 문화에서 많은 영감을 얻게 된다. 스페인 미술관 투어에서 피카소를 보았다면 프랑스 남부 아를에서 고흐를 만난 것도 흥미로운 경험이었다. 일에 파묻혀 무디어진 감각들이 여행을 통해 되살아났다. 때로는 클래식으로, 올드 팝송으로 내 영혼의 빈곤을 채우며 낯선 곳에서의 여행은 만나는 모든 것으로부터 자신을 다시금 찾아오는 것이다.

일기- 아름다운 것들에 대하여

하나.

오늘 스물한 번째 결혼기념일이다. 이른 새벽 출근하는데 남편이 지하주차장까지 옷걸이에 걸린 옷들을 실어 주면서 21년을 살아줘서 고맙다며 작은 선물 하나를 쥐어 주었다. 엄밀히 따진다면 내가 더 고맙다고 하니 두 아이를 품에 안겨준 것만으로도 충분하단다. 거기에다 고생하면서 출근하는 게 안쓰럽다고도 했다. 모르는 척 하며 지하주차장을 벗어나면서 내가 좋아하는 곡들로 usb에 담아준 음악을 들었다.

잔잔한 곡들 속에 우리가 살아온 수많은 시간들이 녹아 있다. 사랑의 배터리를 충전해 주지 않는다면 나의 출근길이 아무런 의미가 없다는 것을 진하게 느낀다. 엄마의 부재를 표시나지 않게 살뜰하게 챙겨주는 배려가 없었더라면 이렇게 나의 일을 하기 위해 출근하는 일은 없었을 것이라는 생각이 든다.

밥만 하기에는 아깝다며 일하라고 해주지 않았다면 또 그렇게 살았을지도 모를 일이다. 오빠 같은 잔잔한 사랑으로 지켜온 그 시간은 온전히 그의 노력 덕분임을 나는 안다. 사랑한다고 말해주고 출근할 것을 그랬다. 말하지 않아도 알겠지만 그게 잘 안 된다.

둘.

며칠 전에 한 통의 전화를 받았다. 일은 잘하고 계신다고, 집에는 언제 오시냐고... 뜬금없는 전화 한 통에 지난 시간들이 주마등처럼 떠올랐다. 긴 공직생활 동안 맺어온 인연들이 새로운 길로 나서면서 소원해진 것은 당연할 것이다. 그런데도 옛 정을 못 잊어 오늘 오시겠다고 하니 그 시간을 기다리는 동안 진심이 통했던 인연에 대해 많은 생각이 오갔다.

햇볕 좋은 날, 정성으로 손수 일군 찹쌀 한 말과 검은 찹쌀 조금을 집까지 가져다 주셨다. 내민 손을 잡고 악수를 하는 잠깐 동안에 바로 이 손이 아름다운 손이라는 것을 알았다. 거칠고 투박한 손일지라도 마음만은 솜털보다도 더 따뜻함이 담겨져 있었다.

잘 지내냐고 해맑게 웃으며 햇볕에 한 알 한 알 말려 모은 정성을 내려놓으시고는 바쁘시다며 걸음을 재촉하셨다. 아쉽게 차 한 잔도 대접 못했다. 직장생활 한답시고 가족에게 직접 밥을 해주지는 못해도 세상에서 가장 귀한 쌀로 밥을 지어먹을 수 있게 해주심에 가슴 뭉클했다.

살아가는 동안 내 자신이 무엇을 해야 하며 어떻게 살아야 하는지를 고민했었는데 이렇게 살면 되겠다 싶었다. 감사드리는 이 마음을 세상에 나가는 걸음마다 담아서 내딛으리라. 새해 시작을 사랑과 함께 감사로 시작한다.

셋.

작은 솔방울이 다닥 열렸네요
어제 내린 비로 흠뻑 취했는지
여린 솔가지 사이로 노란 열매같이 달렸네요

자연이 만들어준 멋진 신록의 향연에
넋을 놓고 보았네요
분홍빛 튤립이 산바람 흔들리고
예쁘게 줄지어 피어있네요

늘 그곳에 있었는데도 이제야 보았네요
무디고 지쳐서 이 아름다움을 보지 못했네요
버리고 비워야 할 게 너무 많네요
꽃과 나무로 오월의 마지막 날을 채우네요.

넷.

하늘은 높고 산에서 불어오는 바람은 한결 시원하고
논두렁에 우뚝 자란 풀을 베어놓고
논에는 발목을 담그고도 남을 논물이 가득

도시 아들과 아버지가 이야기꽃을 피우며
모내기를 하고 있네요

어릴 적 생각이 납니다.
점심을 가득 소쿠리에 담아 머리에 인 큰어머니를 따라
좁은 둑길로 걸었던 그 때가 떠오르네요
오빠들이 논가에 서서 땡땡하게 줄을 당기고
거머리가 나온다며 얼음땡 놀던 때가 있었지요

어디에선가 시작된 구성지게 부르던 노래가 들릴 듯하네요
여름햇살과 바람과 비가 나락으로 자랄 때까지
농부들은 땀과 정성으로 보살펴 누우런 들판을 추수하겠지요
줄지어 심어진 모를 보니 여름으로 무르익어가네요

다섯.
장마다.
깊은 산사에 내리는 비로
산등성이엔 짙은 운무가 깔리고
억수같이 내리는 빗속을 걸어
노스님 기다리고 계시는 청암사로 간다.

길은 그다지 멀지 않았고
따뜻한 차 한 잔은
처음 뵙는 낯설음을 녹여주고

여태 느껴보지 못한 차 맛의 깔끔함이 일미다.

보석 같은 귀한 말씀과 부처님 같은 미소
온몸으로 느낀 하루
맑은 날 다음을 기약하고 돌아 나오는 길
굵은 비는 여전하다.

여섯.
먼 바다에서 불어오는 바람이
후끈 달아오른 더위를 식혀주었다.
감포 척사항을 내려다보면서
보고 싶었던 분들과 오랜만에
수많은 얘기를 하면서 한껏 웃었다.

언제 보아도 척사항은
바다에 대한 그리움을 가져다주는 곳이다.
세찬 파도에 자란 미역 맛은 단연 최고
참가자미회의 쫄깃함도 이곳의 자랑거리다.

금방 건져 올린 싱싱한 회는
까다로운 입맛을 제대로 맞춰주었고
푹 끓인 매운탕의 구수한 맛은 잊을 수 없을 것 같다.
추억을 만든 오늘 하루도 보태어
여름이 서서히 무르익어가고 있다

일곱.

달빛에 물든 무흘계곡의 밤은 깊어가고 있다.
찌는 듯한 더위는 무서운 메르스도 보내 버리고
힘겨운 7월은 소리도 없이 사라져버렸다.
고생한 직원들과 함께 무흘계곡 줄기 평상에 앉아
저물어가는 한여름 밤의 정취를 즐긴다.

별들이 쏟아져 내리는 것은 아직 보이지 않지만
산 위에 겹쳐져 있는 보름달은 유난히도 밝다.
계곡을 따라 흐르는 물소리는 한낮의 더위를 날려버리고
새소리 바람소리마저 잠든다는 수도암 밑
자연 속에 시름을 재우니 더위마저 무흘계곡에 잠이 들었다.

여덟.

간간이 불어오는 바람에
짙게 배인 땀을 씻고
더위쯤 아랑곳하지 않는 꽃들은
빨간 봉우리를 한껏 펼친다.

눈길을 사로잡는 아름다운 자태
먼 산엔 운무가 피어오르고
비 담은 잿빛구름이
하늘로 흩어진다.

입추라는데
가을은 아득하고
소나기에도 꺾이지 않는
막바지 더위

아홉.

눈이 시리도록 푸른 하늘을 보았는가.
비와 구름이 몰려왔던 어제는
포효하듯 거센 기운으로 두려움마저 주더니
오늘은 잔잔한 바람과 하얀 구름 위로
푸른 하늘이 열렸네.

한 끝 뒤로 젖혀 올려다 본 하늘은
가슴마저도 푸르게 만들어 버렸지.
더위에 지쳐 축 처진 나무 잎사귀도
오늘은 생기를 찾은 듯 하늘 향해 뻗어 있네.

여름은 흔적만 남고
이제 가을로 접어드는 시간
자연에서 삶을 배우고
농후한 아름다움에 취하네.

열.

청마 유치환 생가를 찾았다.

그는 허무에 관해 통달한 시인이다.
그의 시에서 본 외로움 번민은
여전히 우리 삶 속에도 짙게 배어있다.

이른 새벽 청마의 생가에서 그의 시를 읽고 또 읽었다.
아무도 없는 그 곳에서의 아침은 여느 때와는 사뭇 달랐다.
낯선 곳에서 숨 막히도록 담박질을 하다가
겨우 숨을 돌릴 곳을 찾은 듯 가슴에 밀려오는 평온은
둔억골 언 발치에 끝없이 펼쳐지는 다도해 같다.

그가 걸었던 그 길을 조용히 걸어보았다.
오랫동안 서성이며 발끝에서 느껴오는
짙은 외로움을 가슴으로 느꼈다.

Ⅲ.
아무도 가지 않는 길

새로운 생태계

난 많은 세월을 혼자 견디고 혼자만의 견고한 성을 쌓으며 살았는데 내가 선택한 공직이란 곳도 비바람을 견디며 하나하나 노력으로 쌓으며 견고한 조직을 만들어내야 하는 그런 곳이었다. 남편 뒷바라지 하면서 커가는 아이들 옆을 지키려면 많은 시간이 필요하기에 선택했던 공직이 나와 이처럼 닮아 있는 곳일 줄은 전혀 상상하지 못했다.

시간은 내게 많은 것을 허락해 주었다. 어쩌면 그 때는 한 우물만 열심히 파면 뭐든 가능했던 기회의 시대였기에 가능했는지도 모르겠지만, 그 시간은 관심도 담고 열정도 담고 꿈도 담을 만큼 조금씩 완성되어 갔고 남들이 가보지 못한 길에는 그만큼 보람과 성과를 거둘 수 있는 기회가 즐비했다.

공직에서 일한 23년을 통해 배운 것 중 가장 큰 것은 모든 일은 사람이 하는 것이고 그 사람이 무슨 생각을 가졌느냐에 따라 나를 성공이든 실패든 만들 수 있다는 것이었다. 아무도 관심이 없고, 어떤 한계도 없는 일을 한다는 것은 시간이 지날수록 근사한 결과물을 담을 수 있는 것이 많다는 것에 정말 놀라웠다.

똑같은 시간을 살아도 그 속에서 미묘한 차이를 만들면서 지루하지 않고 익숙하게 만들어 갔고 남들이 하지 않아도 되는 일을 너무도 열심히 하다 보니 사업의 이름이 바뀌지며 스타트업의 개념으로 확장되어 있었다. 보건소장이라는 임무를 펼친 17년, 조금씩 속살이 단단해져 갈 때마다 선도 보건소라는 위상도 높아만 갔다.

아이들은 내가 더 이상 신경을 쓰지 않아도 될 만큼 자기 길을 빠르게 찾아가고 있었다. 그래서였을까, 아이들과 남편 뒷바라지를 하기 위해서는 이런 좋은 직장은 없다고 늘 얘기했었지만 어느 날 문득 공직생활이 주는 답답함에 가슴이 막힌다는 생각을 하게 되었다. 더 하고 싶어도 언제나 줄을 그어 놓은 듯 한계를 지어주는 느낌을 지울 수가 없었던 것이다.

이젠 변화를 주어야겠다는 생각을 하자 지금이 바로 그때이며 감행해도 좋을 때가 온 것이라는 생각이 들었다. 더 늦기 전에 작은 울타리 같은 이곳을 벗어나 마음껏 일할 수 있겠다는 생각만으로도 설레었다. 도전하기를 좋아하기는 했어도 이처럼 커다란 열정이 숨어 있었는지는 내 자신도 몰랐다.

거의 20여 년의 안정된 공직생활을 그만두고 새로운 일을 시작하겠다고 했을 때 가족 그 누구도 반대하지 않았다. 성실하게 자신의 일을 책임감을 가지고 지내온 것을 누구보다 잘 아는 가족들은 나의 이런 선택을 무모하다거나 엉뚱하다고 받아들이지 않았다. 오히려 '다른 것을 해도 잘 할걸! 뭐든 하면 잘 하잖아!' 이런 말들로 나를 격려하는 가족들의 절대적인 믿음은 나의 결심에 불을 붙였다.

쇠뿔도 단김에 빼라고 하듯 바로 실행에 옮겼다. 지방의료원 원장 공모에 응했고 이곳 김천으로 자리를 옮겼다. 미련 없이 23년 10개월을 다니던 직장에 사표를 던지고 온 만큼 이제 더욱 더 신나게 일할 기회만 남았다고 스스로에게 말하곤 했다. 파란만장한 새로운 삶이 기다리고 있는지도 모른 채 김천의료원의 생활이 시작되었다.

취임식이 있던 날

여행을 다녀온 뒤 하루를 쉬고 도청에서 지사님께서 주시는 발령장을 받고 의료원으로 갔다. 오후에 취임식이 있었는데 2층 작은 강당에 발 디딜 틈도 없이 많은 직원들이 먼저 와 있었다. 꽃다발을 한 아름 받아 쥐고 마이크를 잡았다.

직원들의 따가운 눈초리가 온 몸이 화살에 찔리듯 날카로웠다. 이곳이 만만치 않다는 것쯤은 도청에서 인수인계하는 과정에서 들었지만 노조의 기세가 도드라지게 보였다. 열심히 할 것이며, 어떤 문제든 책임을 질 테니 각자 자기 하는 일에 최선을 다해 달라는 당부와 함께 취임사를 끝냈다.

2014년 공공의료에서 단연 이슈는 진주의료원의 폐쇄였다.

강성 노조가 만들어 낸 적자는 도저히 누구의 도움 없이는 생존할 수 없는 상황이 되었고 정작 책임을 져야 하지만 책임질 만한 사람은 없었다. 자구책을 마련할 기회마저 주지 않고 문을 닫는 안타까운 일이 벌어진 것이다. 어쩌면 김천의료원이 진주의료원보다 낫다고 할 수 없는 그런 상황이었다. 진주의료원처럼 김천의료원도 폐쇄로 걸어가는 것은 아닌지 직원들이 술렁거리고 있는 모습을 보면서 묘안을 짜내지 않으면 안 되었다.

취임식 날 보여주었던 직원들의 태도는 자신의 미래를 걱정하고 있는 사람들의 모습이었다. 뚫어질 듯이 보는 눈빛에서 많은 의심과 불신의 모습을 읽었고 여기가 만만하지 않겠다는 생각이 들었다. 최대한 현황파악을 빠른 시일 내에 끝내야 했다.

김천의료원에서 둥지를 틀고 하나씩 업무를 알아가는 과정에서 열악한 직장 환경이란 것이 어떤 것인지 제대로 알게 됐다. 가난한 집에서는 쓰던 밥그릇도 먹을 것을 사기 위해 팔아버린다고 한 것처럼 의료원도 제자리에 제대로 있는 것이 없었다. 어디서부터 시작을 해야 할지 길이 보이지 않았다. 가지런히 정리된 곳에서 익숙한 일을 해오던 나는 너무나도 헝클어진 이 상황을 어떻게 받아들여야 할지 고민 속에서 입은 닫고 귀만 열어 놓고 3달을 보냈다.

조직이 제대로 균형이 잡혀있었다면 이 지경까지 가지 않았을 텐데 부서간의 불균형은 너무 심각했고 오직 비서실 하나로 움직이는 조직 같았다. 마치 수레의 네 바퀴 중 세 개는 빈약해질 대로 빈약해져서 제 기능을 발휘하지 못하고 한 바퀴만 상대적으로 커서 하나에만 의존해 굴러가다보니 속도 조절이 안 돼 폭주하다 벽에 처박힌 꼴이었다고나 할까.

조직에는 엄연히 질서와 균형이 잡혀있어야 하는데 질서라는 게 없었다. 도로의 신호등을 서로가 잘 지키면 아무리 혼잡해도 차량의 흐름은 원활하고 질서 있게 정리가 된다. 그러나 김천의료원은 신호등을 무시하고 달리다가 부딪히기 직전 아슬아슬하게 멈춰있는 위험천만한 상황을 보고 있는 것과 같았다.

의료원 운영에 따라 정해진 법이 있지만 의료원장의 지시가 그 법 위에 있었다. 따르지 않을 수 없었다고 하니 무소불위 권력을 행사한 끝은 시간이 지날수록 심각해져 더 이상 견디지 못할 상태에 이른 것이다.

조직을 정비하는 것이 급선무였지만 반대도 만만치 않았다. 이것 하나도 못하면 난 아무것도 할 수 없음을 직감하고 어느 것 하나도 놓치지 않고 실천을 해나갔으나 깨어진 그릇처럼 다시 붙이기에는 쉽지 않은 일이었다. 서로가 신뢰를 회복하는 것이 제일 먼저 해야 하는 일임을 알면서도 어디서부터 시작해야 하는지 막막했고 보고되는 것 하나 하나가 보도 듣도 못한 어처구니없는 일들의 연속이었다.

불합리한 일들이 누적되어 누구하나 책임감 있게 일하는 사람을 발견하기가 쉽지 않았고 내부적인 갈등도 만만치 않았다. 모두가 남 탓으로 돌리고 행정은 행정대로 의료진은 의료진대로 많은 이유들을 앞세우니 앞으로 나갈 동력이 부족했다. 공공서비스라는 말이 무색할 만큼 기본마저도 안 되는 놀라운 상황들이 전개되었다.

거의 서너 달 동안 직원들이 가져오는 모든 서류를 꼼꼼히 살펴보았다. 이전 원장님께서 서둘러 가시는 바람에 얼굴도 한번 뵌 적 없는데 인수인계라는 것은 꿈도 꾸지 못할 상황에서 서류를 보니 얼마나 힘든 시간을 보냈는지 알 수 있었다. 내부직원의 고발로 서로 싸우다가 임기 절반은 법원에 낼 자료를 만드느라 시간을 보낸 것이 아니었나 하는 생각이 들 정도로 심각한 내부 갈등 중이었다. 서로가 입은 상처로 인해 회복될 기미는 보이지 않았다.

많은 문제들이 하나씩 들어났다. 책임을 가지고 성의 있게 일하는 조직이 아니라 주인이 없이 일하는 척만 하는 공공의료원의 단점을 단정적으로 보여주는 사건이 있었다. 감당하기 어려울 만큼 과징금이 부과되었다는 사실을 알게 된 것이다. 공문을 처리하는 문제를 소중하게 생각하거나 정해진 시간에 맞춰 상부기관에 보충자료나 의견서를 보내야 할 시기에도 누구 하나 챙겨서 하는 사람이 없었다.

일에 대한 열정은 전무했고 수많은 난관이 있어도 아무도 해결하고자 하는 의지를 가지고 있는 사람이 없었다. 산재되어 있는 문제점을 누군가 관심을 갖고 방법을 찾았다면 해결할 수 있는 것도 스스로 처리하려 하는 사람이 하나도 없었다는 것이다. 이런 패배 정신을 가지고 의료서비스를 한다는 자체가 신기했다.

비생산적인 것은 어쩔 수가 없더라도 월급을 정해진 날에 제대로 받는 것조차 힘들었다. 늘 적자를 벗어나지 못하니 누구하나 월급을 정상적으로 받을 수 없었고 언제나 부족한 살림으로 살다보니 무엇하나 투자해서 미래를 준비하는 의지를 가진 사람 하나 없었다. 이런 사람들과 일을 해야 한다고 생각하니 외로움이 밀려왔다.

기본조차 부실한 상황, 안으로 설득시키고 밖으로 해명하고 몸이 두 개가 있어도 모자랄 만큼 누적된 문제가 넘쳐났다. 새로운 업무 분담을 하는 작은 일에도 남편까지 대동하여 해결하려는 직원들을 보니 기가 찼다. 드러나진 않았지만 느끼기에 따라서는 협박이 아닌 것이 없었다. 원칙이란 것도 없었고 무너뜨리기 위해 만들어 놓은 것 같다는 생각이 들 정도로 정상적으로 일하려는 직원들이 없었다.

빨리 나와 손을 맞춰 함께 일할 사람을 찾는 일이 급선무였다. 모든 일을 내가 직접 할 수 있다면 제일 빠르겠지만 그럴 수도 없는 노릇이고 문제라고 이야기 해줄 사람 하나 없는 이 낯선 곳에서 보내야 한다는 것에 마음이 너무 힘이 들었다. 그럼에도 아무 것도 내색할 수 없었다. 내 발로 찾아와 맡은 일이기에 회피할 수는 더더욱 없으니 어깨에는 무거운 짐들이 하나 둘씩 쌓이기 시작했다.

2억 9천만 원의 부당청구 건

2015년 봄은 새로운 환경에 적응하기에도 빠듯했던 시간이었다. 제대로 인수인계를 받지 못했기 때문에 직원들의 보고에 의존할 수밖에 없었는데 처음 올라온 결제 서류를 접하고서 나의 선택이 맞는지 의구심마저 들었다.

2억 9천만 원에 대한 부당청구 건은 공공의료기관에서 그렇게 할 이유가 없는데 검토 해본 결과 황당하기 짝이 없었다. 이미 물은 엎어져 쏟아져버린 상황이고 손 놓고 있을 수도 없는 문제이니만큼 직접 부딪치는 수밖에 없었다.

모든 업무를 제쳐 두고 일단 보건복지부로 출장을 갔다. 과징금이 4배수라서 그 돈만도 거의 11억 6천만 원에다 부당청구 금액 2억 9천만 원을 합하니 14억 5천만 원 정도가 되었다. 직원들의 한 달 월급을 고스란히 내놓아야 한다는 것인데 기가 막혀 말이 나오질 않았다. 이런 대책 없는 직원들을 데리고 일을 할 수 있을까 하는 의구심이 나를 압박했다.

이런 저런 사정을 다 설명을 해도 보건복지부에서는 이미 시간이 너무 지체되어 납부하지 않으면 안 된다는 말만 반복적으로 했다. 그렇지만 보건 분야에서 잔뼈가 굵은 나로서는 지푸라기라도 잡는 심정으로 예전에 다른 업무로 안면이 있는 직원을 통해 담당 과장님께 속 시원하게 설명이라도 할 기회를 마련해달라고 부탁을 드리고 의료원으로 발길을 돌릴 수밖에 없었다.

며칠이 지난 후 과장님께서 주말에 근무하신다는 얘기를 듣고 부리나케 보건복지부로 갔다. 그동안 부족했던 해명자료와 의도적인 것이 아니었음을 설명하고 지방의료원의 어려움을 토로했다. 처음 부임하고 이런 정도의 과징금을 내면 난 아무것도 할 수 있는 일이 없다고 말씀드리고 선처를 부탁드렸다.

이 건은 건강보험공단에서 일처리를 먼저 해야 하므로 만약 건강보험공단에서 이 사항을 받아 준다면 재검토가 가능하다는 말을 듣고 서울 본부 건강보험공단을 찾아갔다. 업무담당 실장님께서 긴 시간 동안 그간 사정을 들으시고 재차 해명자료를 보시더니 복지부와 의견을 나누고 난 후 답변을 주겠다고 했다.

결국 그 사안은 다행스럽게도 50% 감면을 받아 과징금 8억 7천만 원을 내는 것으로 끝이 났다. 50%인 5억 8천만 원을 감해준 것은 정말 뭐라 표현할 수 없을 만큼 감사한 일이었다. 그럼에도 불구하고 김천의료원의 살림살이는 녹록지 않았다. 워낙 부채가 많기도 했지만 환자는 많아도 수입구조에 손을 보지 않으면 안 되었다. 입원환자가 많아도 회전율이 너무 낮고 장기 환자들이 병실을 차지하고 있는 한 수입에는 큰 도움이 되지 않았다.

부채는 53억이지만 지역개발기금을 빌려서 원금은 단 한 푼도 갚지 않은 상태였고, 수년에 걸쳐 이자만 거의 11억 정도를 납부하는 상황이라 전혀 해결 기미가 보이지 않았다. 높은 이자를 줄이면 아무래도 나을 것 같아 도청에 가서 이자라도 줄여달라고 조른 덕에 3.5%의 이자를 2.0%로 줄였더니 한결 수월했다.

갈등을 거두고 소통을 위해서

첫 해 임기에는 출장 다닌 기억밖에 없다. 원칙대로 하지 않으면 안 되며 그 기본을 지키는 것이 얼마나 어려운 것인지를 알게 하기 위해 발로 뛰었다. 100% 지지하는 조직은 없다는 것을 인정하며 이해를 시키기 위한 많은 노력과 시간을 소비하며 전적으로 매달려야 했다. 모든 일은 직원들의 이해와 적극적인 동참 없이는 불가능하기 때문이다.

일하는 조직으로 바꾸기 위해서는 많은 시간과 인내가 필요했다. 지치지 않고 자신 만의 페이스로 일을 꾸려나가는 것 이상으로 조직에서의 속도 조절은 정말 중요했다. 수많은 도전을 해보았고, 어떤 일이든 하고 싶은 방향대로 끌고 갈 수 있는 의지만은 충분한데 직원들의 의식 수준은 생각보다 미치지 못했다.

의료원의 평판이 좋지 못한 것은 많은 직원들이 좋은 이미지를 심지 않았다는 증거다. 모든 문제의 시작은 의료원 내부이니 내부 소통부터 일관성 있게 하지 않으면 안 되었다. 세상 사람들이 다 알고 있는데 내부에서만 그 사실을 모른다는 것은 아무도 진실을 얘기하지 않는다는 것인데 이는 직원들이 월급을 받지 못할 두려움이 존재하기 때문이었다.

말을 못하도록 노조에서 조종하고 있지 않나 하는 의심이 들면서 좋은 말만 내놓는 사람들을 다 믿을 수만은 없었고 무법천지 같은 분위기를 걷어내야 했다. 조직에서 솔직한 의사소통이 가능해지면 복잡하고 어려운 의사결정도 쉽고 빠르게 처리된다. 그러니 두려움 없이 의사소통하는 근무환경을 만들기 위해서는 평소 구성원에 대한 학습과 훈련은 필수다.

일의 양과 질이 만만치 않아 작은 일 하나도 힘이 드니 소통하기 위해서는 직원들과 친해지는 방법을 생각하지 않을 수 없었다. 다수의 직원이 여직원이라는 것도 고려해야 하는 상황이라 지나칠 정도로 관심을 많이 가져야 했다. 나 자신이 하는 일을 그토록 설명하고 이해를 구하러 다닌 적이 별로 없었는데 내가 하는 일은 언제나 모든 시간을 바쳐야 했다.

그룹으로 무리를 지어 끼리 문화가 전체를 주도하고 정당한 경로가 아닌 비겁하게 뒤에서 사람들을 고립시키는 문화를 가지고는 성장이란 꿈도 꿀 수 없다. 직원들과 경영진 간의 신뢰가 전제되지 않고서는 앞으로 나아가겠다는 것은 허상에 불과하다는 것이다.

직원들이 입을 다물면 손쓸 수 없을 만큼 곪아 버린다. 그들이 어떻게 살아왔는지를 이해하는 데는 시간이 좀 걸렸지만 모든 게 불신때문이었다는 결론을 내니 그들만 탓할 수는 없었다. 모두에게 조금만이라도 공평하다는 느낌이 들면 소외되거나 외로움을 덜 느끼게 되고 그렇게 되면 믿음이 생길 수밖에 없을 터인데 그 불신이란 것으로 막혀 있었던 것이다.

비정상적인 급여 규정을 삭제하라

처음부터 수월한 일은 하나도 없었다. 일에 대한 열정이 거의 사라진 직원들을 보는 것도 힘이 들었고 그 간 의료원 사정에 대해 직원 누구 하나도 아무런 말도 해주지 않은 것이 너무 서운했다. 3년이라는 시간은 어떻게 보면 길지만 이런 일을 해결하기 위해 돌아다닌다면 3년 동안 실적을 내기는 역부족이라는 생각이 들면서 나의 선택에 대해 후회스럽기도 했다.

처음보다는 살벌했던 눈빛이 조금씩 바뀌기도 했지만 몇몇 직원은 나를 믿지 못하고 어떤 꼬투리라도 잡아 헐뜯고 다니며 찌라시를 만들어 도청과 의회, 우리 집까지 날려 보내기도 했다. 수없이 도청 감사실에서 나왔다. 대부분 확인 차 나왔다고는 했지만 내부 고발이라고 했다.

아무리 좋은 의도를 가지고 해도 몇몇 노조원들은 자기들만의 고집을 부렸다. 그렇다고 호락호락하게 넘어갈 내가 아니었다. 난 전혀 개의치 않고 누가 알아주지 않아도 나의 길을 갈 것이라는 결심대로 흔들림 없이 나의 일을 해 나갔다. 꾸준한 것 하나는 타의 추종을 불허할 만큼 일등 할 자신이 있고 온당치 않은 것에 손을 내밀 수 없으니 하고 싶은 대로 다 해보라는 생각으로 일관되게 걸어 나갔다.

직원들을 좀 더 열정적으로 일을 시키고 싶어도 의료원의 임금 구조는 조직만을 위해 열정적으로 몰입해서 하기에는 역부족이었고 부채를 상환하는 문제 역시 그리 간단한 것이 아니었다.

의료원의 수입을 분석해보니 지출이 더 많았다. 어떻게든 수입을 더 늘리는 것은 밀린 의료보험 청구를 하는 것밖에 길이 없었다. 보험심사 실장을 만나서 얘기는 해보았지만 영 이해를 못하는 눈치였고 일을 밀고 나가기에는 역부족이었다. 그래서 도리 없이 실장을 교체해서 하고자 하는 일을 추진했다.

하루에 하루 분을 더 청구하는 것으로 결론을 모았다. 그동안에는 3개월 전 하루 분을 청구했다면 하루 분을 더 청구를 해서 1달 후에 받을 돈을 미리 받게 되니 여유자금이 생겨났다. 직원들이 밤을 새워 열심히 해준 덕분에 자그마치 17억이라는 돈이 더 생긴 것이다.

한 푼도 쓰지 못하고 고스란히 은행 빚을 갚았다. 53억 원 부채에서 17억 원은 실로 어마한 돈이었다. 한 번도 보지도 써 보지도 않는 돈을 벌어서 갚는 것이 너무 아까웠지만 내실 있는 경영을 위해서는 불가피하게 선택하지 않으면 안 되었다.

그런데 문제는 또 있었다. 그동안 적립된 퇴직연금은 겨우 1천8백만 원이 전부였는데 한 직원만 퇴직을 해도 자금이 부족하여 퇴직금을 지급하고 나면 월급을 주기도 힘들다. 아무리 계산을 해도 그 액수보다는 많이 적립이 되어 있어야 맞는 건데 이건 임금 지급 구조에도 문제가 있다는 것을 알 수 있었다.

그렇게 17억을 고스란히 갚고 이자를 줄이면서 매달 저축을 하여 지난해 12월, 5년 만에 53억 지역개발기금 부채를 전부 갚았다. 한 번도 보지도 못하고 한 푼도 써보지 못했던 그 많던 부채가 -5,300,000,000원에서 0원이 찍힌 통장을 보자 그동안 무겁게 져왔던 짐이 한 순간 날아가 버렸다.

정말 솔직한 심정은 그 가볍고 시원함 뒤에는 53억이라는 돈으로 건물이라도 지었다면 자랑꺼리라도 되겠지만 빚을 갚기 위해 0원으로 남는 것이 허무하기도 했다.

직원들이 눈물을 흘리며 감사의 인사를 전해오는데 가슴이 뿌듯하다 못해 아팠다. 우리를 조이고 있었던 족쇄에서 풀려나던 날, 의료원 식구들의 기쁨은 이루 말할 수 없었고 모두가 이젠 뭐든 할 수 있다는 자신감에 가슴 벅찬 시간을 보냈다. 알뜰살뜰 함께 하지 않았다면 어떻게 이런 날을 맞이할 수 있었겠는가! 이제 내가 해야 할 일은 거의 다 했다는 생각에 안도와 해방감마저 들었다.

지방의료원장들에게 있어 임금협상은 늘 골머리를 앓아야 하는 어렵고도 중요한 사안이다. 그런데 임금협상보다 더 중요한 것은 김천의료원은 이해할 수 없는 임금 체계와 노조로 구성되어 있어 자기 월급을 스스로 깎고 있는 구조였다.

100% 월급을 줘도 부족할 것인데 예전에 했던 노조 합의에 의해 직원들은 봉급을 100%에서 85.52%까지 삭감률을 적용해 실제 받아가는 월급은 정상보다 턱없이 부족한 금액을 받고 있었다.

10년 전 노조에서 임금을 더 많이 받기 위해 임금체계를 바꾸었는데 세월이 지나면서 오히려 손해 보는 임금 구조로 굳어진 상황이어서 여전히 강성노조를 가지고 있는 의료원은 아직도 그 삭감률을 적용받고 있었던 것이다.

그런가 하면 김천의료원은 강성노조를 포함하여 노조가 2개나 더 결성되어 있었다. 1개 의료원에 3개의 노조라니, 어떻게 이런 규정이 있을 수 있을까. 그러니 월급은 적고 직원들 간의 갈등이 클 수밖엔 없었다.

나는 예외 규정 한 페이지를 찢어버리라고 했다. 그 이후에 이사회를 거치면서 그 종이 한 장이 갖는 의미가 얼마나 큰 것이었는지 서로를 힘들게 했지만 결국 그 별표는 영원히 사라지게 됐다. 삭제해 버린 규정으로 직원을 위하는 원장이라는 진정성이 느껴지자 직원들은 뭐든 긍정적으로 받아들이고 함께 하고자 하는 마음들로 의료원은 차츰 활기를 찾았다.

협상하는 과정에서 부채를 조금만이라도 줄일 수 있다면 임금을 올려도 좋다는 공식이 의료원을 다시 분발시켰다. 청소하시는 분들과 식당 조리사님들을 함께 제주도에 2박3일로 여행을 보냈더니 입사하고 처음 있는 일이라고 했다. 청소나 음식을 만드시는 분들의 위상이야 병원에서 말해야 뭐하겠냐마는 그들은 나의 진심을 알아주고 돌아와서 수백 배로 더 갚아줬다.

적자 운영으로는 직원들의 임금을 올리는 일이 쉬운 것은 아니었지만 경영자의 확고한 의지는 그 모든 난관을 뚫는 데 도구가 되었고 그 일은 김천의료원이 한마음 한뜻이 되는 결정적인 계기가 되었다. 노조위원장의 말을 빌리면 의료원장이 직원에 대한 사랑의 증표를 확실하게 인식시키는 계기가 되었다고 한다.

환자들이 많이 오게 하려면 그냥 기다리기만 하면 되는 것이 아니라는 것쯤은 누구나 다 아는 사실이지만 혁신을 한다는 게 그리 만만한 일은 아니었다. 깨끗한 환경이 우선 되어야 되고 그 다음은 친절로 무장한 의료진들의 확신에 찬 진료 수준을 확보하는 것이다.

누가 뭐라고 해도 소신껏 밀어 붙이는 나의 성격이 거침없이 발휘됐다. 잘못된 것을 선택한 사람에게 이기게 해 줄 수는 없는 노릇이니 무조건 원칙을 고수해서 지켜나가며 누가 이기나 보자란 듯이 하루하루가 결전의 시간이었다.

한동안 사람들은 나의 단호한 모습에 놀라는 눈치였지만 조금씩 시간이 지날수록 노력의 효과는 드러나고 있었다. 그 바쁜 와중에도 새로운 의료진을 보강하였고, 절대적으로 필요한 인력에 대한 교육도 병행해 나갔다. 그러자 차츰 직원들이 나의 진실을 조금씩 알기 시작했다.

자신이 해야 하는 일이 무엇인지를 알게 되면서 서로에 대한 신뢰가 조금씩 쌓이자 일을 할 수 있는 환경이 만들어졌고 우리가 해야 하는 일에 집중하게 되었다. 그렇게 우리는 서로를 알아가게 되었고, 노력한 성과가 조금씩 드러나면서 모든 것이 직원들의 복지향상에 도움이 되는 것을 보고 더는 부정적인 시선으로 보지 않았다.

무언가를 바꾸기에 3년은 좀 짧은 감이 있다. 바꿀 수는 있지만 몸에 배게 하는 것은 시간이 좀 더 걸리는 일이다. 그러나 이 3년의 시간 동안 모든 선택의 기준은 의료원의 발전이고 그 결과의 혜택은 누구만의 독점이 아니라 전부가 골고루 나눠 가져가는 것임을 서서히 깨닫게 되는 시간이었다.

문제점을 알 수 없어 고쳐지지 않는 경우도 있지만 문제를 알고도 실천할 의지를 가지고 있는 기관장이 없다는 것이 가장 큰 문제이다. 누가 대신해 줄 수 있는 것도 아니고 주어진 시간도 늘 있는 것이 아니므로 문제라는 것을 알게 되면 실천하는 자세가 혁신을 위해서는 가장 필요하다.

김춘수의 꽃처럼

다행히 5억 8천만 원에 해당하는 금액을 감액 받은 일과 삭감률 삭제는 노조와 화해의 무드를 조성하기에 충분했고 그 날로부터 모든 것을 의논하며 직원들을 조금씩 한 곳으로 뜻을 모으는데 일조를 했다. 나는 직원들에게 내가 어디로 가는지를 보게 해주고 싶었고 그 길이 어떤 길이든 직원들과 함께 가고 싶었다.

서로에 대해 알 수 있는 시간을 많이 만들어서 어서 친해지길 바라는 간절함은 내가 먼저 마음을 보여야 직원들도 나에게 속마음을 보일 것이라는 생각이 들었다. 김춘수의 꽃처럼 내가 먼저 그들의 이름을 불러주어야 된다는...

내가 그의 이름을 불러 주기 전에는
그는 다만 하나의 몸짓에 지나지 않았다.
내가 그의 이름을 불러 주었을 때
그는 나에게로 와서 꽃이 되었다.
우리는 모두 무엇이 되고 싶다.
너는 나에게 나는 너에게
잊혀 지지 않는 하나의 눈짓이 되고 싶다.

- 김춘수

조급해진 마음을 뒤로 한 채 개별적으로 만날 수 있는 방법과 소중한 기억으로 남을 수 있는 일이 무엇일까를 구상해 보았다. 누구에게나 생일은 있기 마련이고 생일날 초대해서 식사를 같이 할 수 있다면 누구와도 만날 수 있는 것 아닌가? 하지만 의료원장이라 해서 400여명의 직원들과 식사를 할 수 있는 기회를 만드는 것은 쉬운 일이 아니다. 더군다나 여직원들이 거의 대부분인 직장에서 함께 식사하는 것도 힘이 들었다.

직원들의 마음을 녹이는 일은 단순한 문제가 아니었다. 마음의 상처가 깊어 쉬이 나아질까 의문은 들었지만 같은 공간에서 같은 일을 하는 운명 같은 만남에서 서로가 서로에게 해줘야 하는 의무들을 말해줘야 했다. 그래서 나의 주 무기를 선보여야겠다고 생각을 했다. 글을 쓰는 것을 좋아하니 그들에게 손편지를 써야겠다고 생각한 것이다.

아직도 펜을 들고 다니는 고리타분함으로 서로를 엮을 수 있는 방법, 만년필로 그들에게 작은 엽서를 쓰기 시작했다. 전 직원들의 사진을 책상 앞에 두고 생일을 맞이한 직원의 얼굴을 떠올리면서 그들에게 사랑의 메시지를 적었다. 처음에는 저러다가 한두 달하고 말겠지라고 하던 직원들이 많았지만 난 그 일을 일 년이나 지속했다. 그들의 수고스러움과 그들의 마음을 글로 적어 보냈다.

급기야 손편지는 그들이 나에게 시선을 고정하게 만드는 계기가 되었다. 허물어져가는 집에 산다는 것이 얼마나 서글프고 힘든지 수년을 경험한 터라 그들은 작은 엽서 한 장에서 행복을 느끼기 시작했다. 아직도 그 생일카드를 책상에 붙여 놓고 가족들과 본다고 하는 직원들이 있을 정도로 손편지는 직원들의 마음을 얻기에 충분했고 공식적인 자리에서 내가 하고 싶은 말을 줄이고 마음으로 보낸 이 손편지는 직원들을 움직이게 했다.

밥을 먹어도 영화를 보아도 직원들과 함께 하기를 원했다. 내가 선택하는 것이 아니라 나를 선택해서 오기를 바랐다. 그 모든 시간들이 모여 신뢰라는 것을 구축하게 되었고 그 신뢰는 더 많은 성과로 귀결되었다. 원칙이 실천되면 직원들은 자기 자신의 자리로 돌아간다. 불신이 없다면 뭐든 할 수 있었다.

더는 직원들이 내가 무엇을 하는지 궁금해 하지 않는다. 다들 그 자리에 있기만 해도 자신들이 일을 한다고들 생각한다. 그게 바른 길이 아닌가 하고 생각된다. 아무리 오랜 시간 머물러도 바꿔 놓은 게 없다면 그 자리를 떠날 때 과연 그 조직을 사랑했노라고 말할 수 있을까.

34개 의료원 평가 중 꼴찌에서 우수기관으로

열악했던 재무구조가 이제는 안정적으로 일을 할 수 있게 바탕을 다지게 되었다.

매년 적금을 부어 적립한 결과 이제는 퇴직적립금도 약 25억 정도 적립되어 있다. 정말 배가 부르다. 한결 가벼운 마음으로 의료원 일을 해나갈 수 있으니 너무 행복했다. 직원들이 열심히 한 것도 있고 새로운 의료진을 보강한 것도 있겠지만 의료원은 한층 안정적으로 운영되어 조금씩 적자에서 흑자경영으로 전환되었다.

모든 것을 세금으로만 다 낼 수는 없었으므로 고유목적사업준비금으로 마련하여 새롭게 의료영역에서 필요한 최신모델의 의료장비 구입에 투자를 했다. 국비유치와 자체예산을 마련하니 의료의 질을 더 한층 끌어올리는 멋진 투자가 되었고 경영의 정상화는 흑자 경영으로 바뀌었으며 이는 결국 직원들의 복지향상과 증진에 쓸 수 있었다.

이러한 결과는 의료원 직원들을 긍정적으로 변하게 했고, 나의 진심을 받아들여 최선을 다하는 계기가 되었다. 그들은 더 이상 골칫덩어리 직원들이 아니었다. 직장에 대한 직원들의 자세가 바뀌면서 뭐든 다 할 줄 아는 사람들로 변해갔다. 직장이 나아지는 것은 그들로 하여금 숨겨져 있던 열정에 불을 지르는 것과 같이 활활 타오르며 생기를 찾아갔고 직장을 생각하는 마음이 훨씬 더 깊어졌다. 이전에는 타 의료원을 따라 가는데 바빴다면 이제는 끌고 갈 수 있는 역량이 키워지자 일하는 기쁨을 누리고 자부심이 생긴다며 직원들은 입을 모았다.

행운의 여신이 우리에게 손짓하는 것만 같았다. 감사했다. 하루하루 출근하는 즐거움이 나를 행복하게 했다. 직원들과 한마음이 되었다는 느낌은 정말 일을 하는 데는 최고의 지원이며 자산이라는 것을 알았다. 노조에서조차 하는 일마다 적극적으로 나서 주니 모든 것이 일사천리로 진행되었다.

34개 의료원 중에 꼴찌였던 우리 의료원이 사람들의 관심을 받게 된 것은 보건복지부에서 하는 평가에서 모든 부분 우수한 성적으로 자리매김하면서부터였다. 의료원 운영평가 세 개 분야에서 'Triple A' 삼관왕의 영광을 차지했으니 김천의료원이 재평가 받는다는 것은 당연한 일이었다. 직원들의 협력과 노력 덕분에 나는 다른 의료원장들이 해보지 못한 수많은 경험을 하게 되었다. 매출 규모로 따진다면 거의 두 배로 성장을 했고 어려운 시기에 거둔 성과라서 더 값졌다.

전문 인력 고용이 120여 명이나 증가된다는 사실은 좋은 일자리를 많이 만들었다는 증거이다. 그러나 이런 사실보다 더한 선물이 있다면 직원들의 자존심 회복이었고 자부심을 찾았다는 것이다. 사람들은 누구에게나 인정받기를 원한다. 지역주민들의 사랑을 받는다는 느낌으로 일을 한다는 것은 모두에게 자랑스러운 일이다.

최고의 직장을 만드는 것은 기관장의 몫이라기보다는 그 기관에 근무하고 있는 직원들의 몫이다. 같은 방향을 보면서 일을 한다는 의미는 이제는 더 이상 시간 낭비가 없이 더 나은 조직으로 함께 간다는 의미이다. 실천하기에 드는 비용이 겁난다면 이 정도로 충분하다는 것을 증명할 수 있을 때까지 지킬 힘이 필요하다. 그것을 맷집이라고 할까? 흔들리지 않은 자신을 가지는 것이 의료원장으로 가질 필수 마음가짐이다. 해보기도 전에 쓰러져 버린다면 뭔들 할 수 있겠는가?

직원들을 설득시킬 용기와 지치지 않는 뱃심을 가져야 하고 자신을 지킬만한 능력을 가져야 한다. 찌라시도 확인을 해달라고 용기 있게 말할 줄 알아야 한다. 언제나 적들이 존재한다는 것을 알아야 하고 정당하게 일을 하지만 모두가 좋은 시선으로 보는 것이 아니라는 것쯤은 이해해야 한다. 또한 떳떳하고 당당하게 자신의 결백을 증명할 능력을 키우는 것도 나쁘지는 않다고 생각한다.

사람이 살아가면서 필요한 것도 많겠지만 부드러움과 젠틀함은 꼭 가져야 한다. 어려운 직원들에 대한 배려 역시 놓쳐서는 안 되며 어떤 상황에서도 당황하지 않고 자신을 지킬 수 있는 인내심과 자신감은 조직을 이끌어 가는 데 가장 필요하다.

끝까지 회피하지 않고 진실을 찾아가는 인내심과 경청하는 자세는 늘 훈련을 통해 실천을 해야 한다. 비록 일을 못한다 하더라도 잘 들어 주고 긍정적인 메시지만 주어도 반은 해낸다는 것을 한참 뒤에 알았지만 그것을 알았다는 사실도 작은 것이 아니었다. 답을 정해 놓고 사람들을 만나면 안 된다. 당장에 실천할 수는 없어도 여건이 성숙되고 실천할 수 있는 환경을 만들어 나아가면 된다는 의지만 보여주어도 괜찮다. 가장 필요한 것은 서로에게 공감할 수 있는 여건을 만드는 것이다.

문제를 말하면서도 말하는 사람조차 금방 해결될 수 있을 것이라 생각하지 않는다. 다만 잘 들어준다는 사실만으로, 자신의 의견을 이해한다는 것만으로 말한 의미는 충분히 공감되었기에 이미 시작이 되었다고 생각하게 된다. 뭐든 다 해야 한다는 무모한 생각은 버리는 게 좋다. 늘 함께 공유하면서 못하는 것이 무엇인지를 알게 하는 것도 중요한 부분이다.

우리가 서로에게 해줄 수 있는 것이 무엇인지 희망적인 메시지만으로 족한 것들이 너무 많다. 스스로 판단하고 진행할 수 있는 자발적인 직원들이 많을수록 그 조직은 건전하게 앞으로 나아간다. 정말 다양한 능력의 사람들이 근무하는 곳이 의료원이다. 모두가 똑같은 한 분의 직원임을 명심해야 한다.

좋은 의료진과 최신 의료장비가 만났을 때

의료원장의 임무 중에 좋은 의료진을 모시는 게 가장 중요한 일이기도 하다. 정형외과 3과장님을 모신 것은 의료원으로 봐서는 정말 행운이었다.

노인환자나 골관절염 환자들이 많은 정형외과에는 언제나 환자들이 만원이어서 두 분의 과장님께서 수술환자와 입원환자 관리 외에도 밀려드는 환자들을 모두 소화시키기에는 역부족이었다. 1과장님과 면담을 통해 조심스럽게 3과장님을 모시는 일을 의논했다. 의료진을 보강하는 문제는 과장님들 사이에는 꺼내놓기 힘든 이야기임이 분명하므로 내 의견보다는 과장님 후배 중에 좋은 분이면 나도 좋다고 미리 말해 두었다.

3과로 모시게 된 장과장님은 능력 있는 정형외과 의사이기도 하였고, 인문학도처럼 온화한 성품으로 환자분들과의 좋은 관계를 맺고 있었다. 수술도 잘하시고 성실하게 환자만 생각하시는 분이셨다. 환자에게 수술에 대한 설명도 잘해주고 오신 지 얼마 되지 않아 정상적인 궤도로 진입하며 의료원에 적응해 가셨다. 6개월도 되지 않아 다른 과장님 못지않게 의료수익도 창출해 주셔서 너무 고마웠다. 선생님 덕에 그 많은 과징금을 내고도 직원 월급을 주는 데 덜 어려웠다.

의료원의 적자 폭이 조금씩 감소하면서 의료원이 점점 나아지자 국비를 지원 받아놓고도 하지 못했던 치과실도 빠르게 준공을 했다. 진료과목에 치과가 신설되는 것은 병원이나 환자에게 모두 좋은 일일 뿐 아니라 병원의 운영에도 도움이 된다.

치과의사 선생님을 섭외하러 가던 그 눈 오는 날을 잊을 수가 없다. 자동차로 서울까지 출장을 가면서 눈길을 달려야 했던 날, 의료원으로 모셔 일하고 싶게 만들어 드리겠다고 했더니 그 해 겨울을 보내고 모실 수 있게 되어 치과도 문을 열 수 있었다. 점잖고 말 수가 적은 순수하신 치과 선생님 덕에 입원 환자나 직원들에게 복지혜택을 줄 수 있는 중요한 과가 되어 주었다.

고혈압 · 당뇨 등 만성질환에서는 안과질환의 합병증이 많다. 60대 중반의 안과 과장님께서도 밀려오는 환자분들을 보기에는 역부족이어서 과장님께서는 고향 부산으로 돌아가시고 공보의를 받는 것으로 결론을 냈다. 안과 공보의 선생님은 공보의를 마치고 우리 의료원에 그대로 페이 닥터로 남았다. 의사들이 모인다는 것은 그만큼 진료환경이 좋고 의국 분위기가 좋다는 것을 의미한다.

백내장 등 고령화로 안과 질환에 대한 수술이 원활하게 이루어져 그동안에 부족했던 의료서비스를 하게 되어 다행이었다. 코로나19 때에 다른 과에는 환자가 줄어도 안과만은 예전과 다름없이 수술이며 외래환자가 여전하여 병원 경영에 도움이 되었다. 성실하시고 환자만 생각하는 분이라 환자들의 만족도도 좋았다.

이처럼 적재적소에 전문인들을 보강하더라도 지역민에게 신뢰를 받지 못한다면 그 또한 의미가 없는 일일 것이다. 그러나 무한 신뢰를 보낼 수밖에 없는 그 사건은 우리 의료원 정형외과 의료진의 우수함을 실력으로 보여준 에피소드이자 내겐 무엇과도 바꿀 수 없는 선물로 가슴에 자리 잡고 있다.

관사에서 청소를 한 뒤 씻고 나오다가 방바닥에 미끄러지면서 균형을 잡지 못해 넘어졌다. 침대에 누웠는데 통증이 점점 더 심해지는 것이 심상치 않은 느낌이 들어 본가에 전화를 했고 통증이 예사롭지 않은 것을 보니 부러지진 않았어도 뼈에 금이라도 간 게 아닌가 싶다는 말에 남편은 경주에서 김천까지 한 걸음에 달려왔다.

의사인 남편 병원으로 옮겨 x-ray를 찍어보니 판단하기 쉽지가 않았다. 원래 뼈가 부러진 것은 x-ray로 바로 파악할 수 있으나 금이 갔을 때는 판독이 쉽지 않다. 그래서 영상의학과 전문의인 고등학교 선배님께 연락해 선배님 남편의 정형외과 병원으로 옮겨 CT를 찍었더니 좌측 대퇴골 골두에 수직으로 금이 가 있었다. 예상은 했지만 막상 수술을 해야 한다는 말을 들었을 때 충격보다는 고민이 앞섰다.

어느 병원에서 수술을 해야 할 것인가! 지역 동대병원으로 가야할까? 아니면 대구에 있는 모교 영대병원으로 가야하나? 남편과 나는 결정할 수가 없었다. 그래서 우리 의료원의 정형외과 과장 3분 선생님께 한꺼번에 메시지를 넣고 어떻게 하는 것이 좋을지 의논을 했고 나는 우리 의료원에서 수술을 하기로 결정을 했다.

나의 이 결정에 의료진들이 얼마나 부담감을 가졌을지 말하지 않아도 짐작하고 남지만 내 스스로도 어쩌다가 이런 상황에 왔는지 걱정이 태산이었다. 내 수술을 맡을 주치의인 1정형외과 과장님은 의료원장을 수술하는 부담이 커서 전날 밤을 지새웠다고 한다.

수술은 성공이었다. 얼마나 수술을 잘했던지 재활이 끝난 뒤 골프를

쳐 홀인원을 할 정도였다. 거의 두 달의 입원 치료를 받으면서도 내가 우리 의료원에서 수술을 받았다는 것을 아무에게도 알리지 않았지만 이미 온 동네에 소문이 났고 그 소문은 우리 의료원의 의료수준을 인정한다는 의미로 받아들여졌다.

수술 전 나나 남편도 더 큰 병원에서의 수술을 생각하지 않은 건 아니었지만 의료원을 이끄는 사람으로서 자신이 다른 병원에서 수술을 받는다는 것은 내가 몸을 담고 있는 의료원에 대해 스스로 저평가 하는 것이나 다를 것이 없다는 생각이 들어 내린 결론이었다.

환자였던 두 달의 시간은 일반적인 업무 외에도 의료원의 구석구석을 알 수 있는 기회이기도 했고 나와 의료진 그리고 병원의 임직원들이 믿음으로 하나 되었음을 확인하는 시간이기도 했다. 5년 전 내가 흐트러져 있는 의료원의 마음들을 하나로 모을 수 있도록 다시 한 번 사랑을 시작하자고 했던 결심이 새삼스레 감동으로 다가왔다.

의료시설은 시대에 맞게 이용하는 주민들의 욕구에 맞게 더 새롭게 단장해야만 한다.

2015년부터 2019년까지 의료장비를 보강하는데 65억 정도를 투자했다. 국 · 도비로 50억 정도, 추가로 자비 15억 정도 투자를 하여 최신 장비를 보강하여 진료의 질을 한층 높였다. 공공병원으로서 재활센터와 호스피스병동의 개설은 주민들의 숙원사업이었고 김천의료원에서의 재활센터의 개설은 절실한 사업이었다. 그동안 제대로 된 재활센터가 없어서 대구나 인근 도시로 치료를 받기 위해 전전했던 김천시민들에게 재활 의료서비스의 제공으로 경제적인 부담을 크게 줄 수 있게 되었다.

그런 숙원사업으로 진행되어 2018년도에 완공된 의료시설은 호스피스병동, 재활병동, 재활센터, 수술실, 중환자실, 인공신장실, 등 98억의 국 · 도비 지원예산으로 다양한 의료서비스가 제공 될 수 있는 기반을 만들었고 여기에다 필요한 의료장비의 확보는 시설에 맞게 더 보강했다.

물리치료실을 확대해서 200평 규모의 전문재활센터를 개설하게 되었고 재활의학과 선생님은 공보의를 마치자마자 그대로 우리 의료원에 남기로 하셨다. 내가 선생님 결혼 때 대구까지 가서 주례를 봐 주었던 것이 마음을 머무르게 한 것이었을까.

공보의 때와는 다른 책임감으로 재활센터의 시설이나 장비에 대한 준비를 아주 열심히 해주셔서 순조롭게 센터를 열 수 있게 되었다. 그분의 성품대로 섬세하고 차분하게 진료를 하시니 금방 입소문이 나서 재활병동도 얼마 되지 않아 다 채워졌다.

신체 장애인이 장애를 극복하고 생활할 수 있도록 지원하는 재활의료서비스로 16병상 규모의 재활병동을 개설하였다. 고령화된 농촌지역 주민들을 위한 호스피스 병동을 가동하기 위해서 내과 의사 전원이 호스피스 교육을 받고 호스피스 병동을 열게 되었다.

구미, 상주, 문경시 등에는 이런 시설이 전무해서 공공의료서비스 강화의 일환으로 개설하게 되었는데 이제는 말기암환자들도 지역에서 다양한 혜택을 받을 수 있게 되었고 암으로 수개월 내에 사망이 예상되는 환자나 가족에게 임종을 위한 심리적, 사회적인 돌봄을 제공하는 서비스로 10병상을 마련하기도 했다.

소아과 과장님을 모시는 데도 힘이 들었다. 소아과 과장님께서 그만

두시자 새로운 소아과 과장님을 모시기 위해 대구에 수도 없이 가서 다행히 배과장님을 모시게 되어 빈자리를 채울 수가 있었다. 이처럼 소아과가 똘똘한 여자 과장님으로 바뀐 뒤에 환자분들의 만족도가 훨씬 좋아졌다.

소아과는 환자보다는 보호자인 엄마를 잘 관리해야 하는 과이며, 엄마들의 만족도를 높여야 하는 것이 문제였는데 과장님이 생각보다 자상해서 엄마들에게 인기가 좋았다. 맘카페에서도 선생님에 대한 칭찬이 많이 들리는 걸 보면 안심도 되고 고마운 일이다.

안과 과장님이나 재활의학과 과장님이 공보의를 마치고 그대로 의료원에 남아주었듯이 신경과 과장님도 공보의를 마치고 타 기관의 스카웃 제의도 마다하고 우리 의료원에 남아주셔서 의료진들이 같이 일하고 싶은 김천의료원이라는 것을 보여주었다. 성실은 기본이고 환자에 대한 남다른 열정으로 젊은 나이임에도 마음에 사랑이 많아 의료진들 사이에서도 신뢰가 두터운 것을 보니 한결 마음이 놓였다. 속도 깊고 환자들이 무엇을 원하는지 너무 잘 아는 걸 보면 대처하는 능력이 뛰어난 것 같다.

이처럼 신경과의 보강으로 급성기 뇌졸중환자관리에서도 의료서비스가 업그레이드되고 관리의 수준을 높일 수 있었는데 이로 인해 의료 평가에서 좋은 성적을 받게 되었다. 감사할 따름이다.

의료원을 증축하면서 인공신장실을 16병상에서 22병상으로 넓히니 투석환자들을 더 많이 받을 수가 있었다. 문제는 신장내과 전문의 선생님을 구하는 일이 또 산처럼 버티고 있었다. 많은 요양병원에서도 구애를 하다 보니 이런 지방의료원에서 모시기가 더욱 힘이 들었다.

모교인 대구 영남대학병원으로 가서도 알아보았지만 구할 수가 없었는데 그래도 우여곡절 끝에 전임 중인 서과장님을 모시게 되어 참으로 다행이었다. 6내과 선생님을 모신 후로 환자 만족도가 많이 좋아졌고 열정적으로 환자들을 보며 살뜰하게 챙겨주니 한 번 오신 환자분들을 놓치지 않았다. 이제 인공신장실도 정상궤도에 잘 안착되었다.

5내과 과장님께서 개인적인 사정으로 사직을 하면서 새로운 5내과 과장님을 모셔야 했는데 충북대학병원에서 소화기내과 전임을 마친 선생님이 우리의료원을 선택해주셨다. 경상도 사나이답게 무뚝뚝하게 보여도 환자분들께는 자상함을 보여주어 매주 만족스러웠다. 어려운 여건 속에서 새로운 영역을 넓혀가기 어려운 상황에서도 성실함이 그대로 드러나는 그런 분이다.

의료진을 구한다는 게 쉬운 일이 아닌데 우리 의료원을 선택해주신 걸 보면 아마도 내가 복이 많은 모양이다. 쉬운 것은 없었어도 하나씩 의료진이 보강되면서 외래는 점차 안정을 되찾아갔고 지역주민들에게 한결 높은 의료서비스 제공이 가능하게 되니 지역 주민들에게 많은 관심과 기대를 한 몸에 받았다. 가슴이 뿌듯했다. 어려웠던 만큼 삶의 보람을 느끼기에 충분했다.

지역민을 위해 준비한 선물은 바로 의료전문인력

의료원 상황은 점점 좋아지고 있었다. 적자 폭도 덩달아 좁혀지면서 제대로 사업을 할 수 있는 여건으로 바뀌어 갔고 하는 것마다 잘 되었다.

의료수익도 점차적으로 상승하면서 경영 여건이 훨씬 좋아졌다. 직원들도 회의 참석이나 연수회 참석도 적극적으로 변해가고 모두 한 방향으로 가고 있는 듯 속도가 붙기 시작했다. 조금씩 의료원의 밝은 미래가 보이기 시작했다.

우리 같은 중소병원은 지역의 대학병원에 환자를 뺏기는 경우가 많다. 서비스를 최고로 받고 싶은 환자들의 마음은 당연한 것이고 병원은 그런 요구를 충족시킬 수 있어야 한다. 최고의 서비스 시스템을 만드는 것은 많은 돈이 투자되어야 가능한 일, 경영상황이 조금씩 나아지면서 한 가지씩 지역주민들을 위한 일들을 추진하게 되었다.

응급실을 최고 등급으로 잘 운영되게 하기 위해서는 제일 먼저 갖추어야 할 것은 의료전문 인력의 확보이다. 그러나 이런 작은 도시에서 응급의학과 전문의를 구하는 일이 하늘의 별을 따는 것만큼 어렵고 힘든지를 사람들은 잘 모른다. 원장이 가장 힘들게 일하는 부분일 것이다.

응급실을 완벽하게 운영하려면 많은 돈을 투자하여야 한다. 의료진의 보수를 감당하면서 의료수준을 올리는 것은 순전히 공공의료에 대한 남다른 시각을 가지고 있어야 가능하며, 절대적 지원이 없이는 불가능하다. 만약 그렇게 할 수만 있다면 이건 지역사회의 큰 선물이 된다. 나는 이 선물을 준비하기로 했다.

생각지도 못할 선물을 준비하려니 의료진의 보수가 많아서 경영이 악화된다고 노골적으로 말하는 직원도 있었고 부정적인 시선이 있는 것에 답답하긴 했지만, 한 해에 한 명씩 전문의를 모신 것은 나름의 철학이 있지 않고서는 불가능한 일이기에 밀고 나가기로 했다.

응급실 1과장님께서 그동안 공보의를 데리고 본인이 당직을 매일 서면서 어렵게 운영해 왔었다. 그러나 매일 이렇게 운영하다가는 1과장님께서 병이라도 난다면 와르르 무너지는 구조였기에 이를 빨리 바꾸지 않으면 안 되었다. 모든 과가 다 어렵지만 응급의학과 전문의를 구하는 것은 더더욱 어렵다. 그럼에도 불구하고 그 어렵다는 일을 해냈다.

다섯 분의 전문의를 모셔서 매 순간 최고의 의료서비스가 제공될 수 있도록 한 것이다. 그뿐만 아니라 매일 입원 병동에도 응급상황이 벌어질 때마다 응급과장님들께서 그 위기 상황을 감당해주셔서 의료원 전체가 안정적인 운영이 이루어졌다. 의료진들의 단합은 일의 성과를 배로 올렸고 24시간을 든든하게 구축된 시스템은 시민들은 알 수는 없지만 그야말로 시민들에게 큰 선물이 되었다.

출근하여 책상에 앉으면 나는 직원들의 출근을 점검한다. 경영자는 본능적으로 그 직원의 출근여부를 체크해야만 한다. 오늘 400명 직원 중에 출근하지 못한다면 누가 나를 가장 힘들게 만들까 생각해 보았다. 떠오르는 그 얼굴은 바로 수술실에 근무하시는 50대 중반의 마취통증의학 과장님이시다. 수술할 의사(surgeon) 분들은 10분이 넘는데, 의료원 증축을 할 때 수술실도 3개에서 5개로 늘리려는 계획이었다. 그런데 마취통증의학과 선생님은 오직 과장님 한 분뿐이니 과장님의 건강이 걱정되었다.

과장님의 건강 문제는 우리 의료원의 문제이기도 했다. 과장님을 모시고 여러 차례 의견을 나누었지만 혼자 일하는 게 편하다며 곁을 내주지 않으셨다. 전담의사를 한 분 더 구해주는 것은 그 분에게 도움이 되리라고 생각했는데 실상은 그렇지 못했다. 자기를 내쫓으려고 그런 것이 아니냐는 오해의 소리까지 들려왔다. 말도 안 되는 소리였지만 참을 수밖에 없었다. 나에게는 의료원을 더 안정적으로 운영하기 위한 특단의 조치임에도 오해를 하고 계셔서 참으로 난감했다. 어쩔 수 없는 노릇이지만 한 과의 고집만으로 의료원이 운영되는 곳이 아니지 않는가!

전임보다는 좀 더 유연하리라 생각하고 파트타임 의사를 구해서 함께 일하시도록 했더니 두 분의 갈등이 만만치 않았다. 그래도 그동안 불안정했던 수술실의 구조가 개선되었다는 것으로 안심을 하고 있었는데 뜻하지 않게 과장님께서 그만 뇌출혈로 출근을 못하는 상황에 이르렀다. 수술하는 10여 명의 의사 분들이 일을 멈출 수밖에 없는 이 비상사태에 다행히 그 파트타임 의사가 거의 3주나 매일 출근을 해서 위기를 모면할 수 있었고 수술실도 정상으로 돌아갈 수 있었다.

위기상황에서 의료원은 구했지만 나에게는 좋은 시간만은 아니었다. 그 일은 두고두고 직원들에게 회자되는 사건으로 남았다. 그 일로 마취통증의학과는 새로운 선생님으로 두 분을 다 교체했고 모든 어려움은 일단락되었다. 속상했던 일들이 많았으나 의료원이 정상적으로 운영되고 있으니 그것으로 만족해야겠지만 의료진의 건강은 의료원을 또 한 번 위기의 벼랑 끝으로 몰고 갈 수 있다는 것을 절감케 하는 사건이었다.

마취통증의학과도 이제 제자리를 잡아가고 있다. 의료진들이 보강되고 수술실도 확장되면서 모신 두 분의 마취통증의학과 선생님들은 실력 면에서나 직원들과의 소통 면에서나 모두 만족스러웠다. 마취통증의학과 과장님들이 오시고 간호 · 간병통합병동에서 어깨 수술 후 울면서 밤을 지새우는 환자분들이 사라졌다고 했다.

미리 대비해서 준비하지 않았다면 우리는 속수무책으로 당했을 게 뻔하다. 일어나지도 않는 일에 투자하는 것만큼 어려운 일이 없지만 유비무환이라 하지 않는가!

이제 모두가 제자리를 찾은 듯 안정되어 가는 모습을 보면서 나름 뿌듯해지기도 한다.

의료진이 머물고 싶은 곳

연말이면 각 과장님들과 임금협상을 진행한다. 가장 힘들고 곤혹스러운 일 중에 하나다. 의료원을 위하여 열심히 하시는 것은 당연하지만 물질적인 보상이 원하는 만큼 줄 수 있는 것도 아니고 생각에 따라서는 부족하다보니 힘들 때가 많았다.

젊은 이비인후과 과장님께서 임금협상 중에 만족하지 못하셨다. 이미 협상을 끝냈는데 한 달도 지나지 않아서 재 인상을 요구했을 때 더 이상 협의를 할 수가 없었다. 어떻게든 요구하는 대로 맞춰 보려고 하지만 이비인후과장님만 있는 것은 아니니 한 분의 임금인상은 다른 과 과장님들께도 영향을 미치는 사항이므로 파격적인 인상은 하기 힘들었다.

결국 그는 우리 의료원을 떠났다. 늦은 시간까지 최선을 다해 환자를 보았는데 알아주지 않는다며 많이 서운해 하면서 병원을 떠나자 음해성 소문이 돌아다녔다. 의료원장이 자신의 요구를 들어주지 못한다며 나가라고 했다는 억한 소리가 들렸다. 이 소문은 몇몇 의사 분들을 술렁이게 했고 나를 난감하게 했지만 나는 이 소문을 조용히 듣고 있을 수밖에 없었다.

한두 번 이런 소리를 들은 것은 아니지만 이런 일이 있을 때마다 의료원장으로 온 것에 깊은 회의가 드는 것은 어쩔 수 없었다. 소통의 부재로 사람들로 하여금 오해를 받는다는 것이 억울하기도 하고 가슴이 아팠다.

갑자기 병원을 떠난 그 자리에 한동안 아무도 일할 의사를 구하지 못했다. 지방의료원이라는 생리상 많은 보수를 주지 못하는 것 자체가 의료인력 수급에 난항이었다. 몇 달에 걸쳐서 의사들이 보는 구직 사이트에 올렸지만 지원하는 사람이 없었다. 백방으로 노력한 결과 현재의 이비인후과장님을 모시게 되었는데 살아온 시간만큼 노련하게 환자를 잘 다루셨다. 이전 보다 더 많은 어려운 환자들을 곧 잘 봐주셔서 금방 환자들이 들어찼다. 긴 기다림 끝에 오셔서 의료원에 많은 도움이 되었다.

거의 반 년이 비어 있는 동안 그 앞을 지날 때마다 후회를 했었다. 내가 조금이라도 더 양보를 했어야 했나 하고 자책을 했었다. 다시는 이런 협상에서 어려움이 없도록 섬세하게 해야겠다고 생각했다. 좋은 의료진을 모시는 것은 우리 의료원의 미래를 결정짓는 아주 중요한 의료원장의 할 일이다. 환자를 보는 의료진이 훌륭해야 의료원이 잘되는 것이니 사활을 걸어야 한다. 좋은 의사를 모시는 것은 의료원장에게는 아주 중요한 일임에 틀림이 없다.

영상의학과도 업무량이 너무 많아 혼자하기 힘들었다. 1과장님의 관심으로 자신과 비슷한 멋진 선생님을 모셔왔다. 이런 경우를 운이 좋다고 해야겠지. 얼마나 감사한지 모르겠다. 2과장님께서는 말수도 적고 표현도 적지만 일만은 잘 하시는 것 같고 1과장님과 2과장님께서 서로 사이가 좋으니 이제 문제 될 것은 없다. 당분간 영상의학과는 1과장님께 맡겨 두면 안정적으로 이끌어 갈 것이라는 확신이 든다.

신경외과 공보의 선생님께서 공보의를 마치고 우리 의료원에 남아주길 바랬지만 서울에 전임으로 가는 바람에 도청에 공보의를 신청을 했다. 그런데 이번만은 신경외과 공보의가 전국에서 서너 명이 안 되어 우리 의료원에 보내줄 수가 없다는 통보를 받고 한동안 어찌해야 될지 몰라 멍했다.

신경외과2를 비우기에는 경영상의 어려움이 가중되므로 또 다시 백방으로 선생님을 찾아 다녔다. 도대체 어디에 계시는지 아무리 찾아도 찾을 수가 없었다. 신경외과 2의사를 못 구한다면 우리에게는 또 다른 시련이 올 것임이 분명했다. 우여곡절 끝에 다행히도 지금의 신경외과 2과장님께서 다른 곳 스카웃 제의에도 불구하고 우리 의료원을 선택해 주셨다. 경험이 많으셔서 금방 적응을 잘하시고 그동안 허리부분의 수술이나 치료에 좀 부족함이 있었던 것을 단번에 정리를 해주셨다. 서울 분이라서 목소리마저 나긋나긋하셔서 환자분들의 만족도가 높다고 했다. 정말 다행이다.

타 병원들은 의료진 보강에 매우 어려움을 겪고 있는데 반해 우리 의료원의 경우 스스로 남는 결정을 하게 되는 것은 현재 근무하고 있는 의료진에 대한 지원을 아끼지 않고 보살핀 덕이 아닌가 생각해 본다.

의료진의 보강은 기존 타 과 전문의 선생님들께도 도움이 되었고 다른 어느 곳보다 협진이 잘 이루어지고 있으며 서로 배려하는 모습에서 의료진들의 달라진 애사심을 느끼게 되는데 이 모든 것들이 우리 의료원이 잘되는 가장 근본 이유일 것이다. 이런 젊은 의료진들이 많이 남아서 지역의료 발전에 한 힘을 보탤 수 있게 되는 것은 건강한 의료원이 되어 간다는 것이므로 정말 감사한 일이 아닐 수 없다.

의사는 많아도 함께 일할 의사를 구하는 것이 얼마나 힘든지 해보지 않으면 그 고충을 알지 못한다. 많은 돈을 준다고 의사들이 몰려오는 것은 아니다. 소신껏 일하는 것을 더 선호하고 많은 지원을 아끼지 않는 경영진들이 있어야 의사들이 머문다.

직원들의 월급이 의료진의 손에 달려있기 때문에 누구보다도 잘 신경을 써야 한다. 의료원을 잘 모르는 사람들은 직원들의 월급을 벌어서 주는 지도 모르고 국가에서 공무원처럼 주는 것으로 이야기 할 때마다 어디서부터 이해를 시켜야 할지 막연하기만 했다. 의료원에서 의료원장이 해야 할 가장 중요한 일이다.

의료원이 위치한 곳이 농촌지역이다 보니 고령화가 심각하고 치매환자도 많다. 인근에 정신병동을 갖춘 병원이 있어도 여러 가지 보건사업을 적극적으로 추진하기 위해서 정신과를 새로 개설하기로 했다. 입원해 있는 고령 수술환자에게도 꼭 필요한 의사가 정신건강과장님을 모시는 일인데 점잖고 속 깊은 김과장님께서 오셔서 한 축을 담당해 주시니 정말 다행이었다.

내가 우울증이 걸린다면 면접하러 오신 네 분의 정신과 의사 중에 누구에게 진료를 받을 것인가를 생각하니 답이 나왔다. 지역사회에서 치매나 청소년 정신건강 등 다양한 사업에도 곧잘 도움을 주신다. 고령환자들이 많고 입원이나 수술 후에는 정신과 과장님의 도움이 절실한 경우가 더러 있는데 그때마다 협진을 잘 해 주셔서 간호사들의 야간 근무에 어려움을 덜 수 있었다.

20개과 296병상과 간호등급은 3등급

20개 과를 갖춘 296병상 규모의 병원이 지역마다 맞춤으로 있는 것은 아니므로 우리 의료원의 규모나 의료서비스는 다른 어떤 지역보다 질 높은 의료서비스를 제공하고 있음을 자부할 수 있다. 이 모두가 김천을 사랑하는 뜻있는 분들이 계셔서 이루어 놓은 성과인 것이 분명하다.

병원의 의료서비스 중에서도 간호등급을 빼 놓을 수 없다. 간호등급 3등급을 이런 중소도시에서 운영하기란 여간 어려운 게 아니다. 간호 등급을 유지한다는 것은 그만큼 간호사 수가 많다는 것이고 의료서비스를 보장한다는 것을 의미한다. 이 인근에 우리 의료원만큼 이 정도로 많은 간호사가 있는 병원이 드문데 우리 의료원이 많은 간호사를 유치할 수 있었던 것은 기숙사를 제공한다는 옵션이 필수 요소로 작용했다.

지역에 간호학과를 가진 대학이 두 군데나 있어도 우리 의료원에 지원하는 신규직원은 한 명밖에 없다는 현실은 정말 이해하기 힘든 사실이다. 졸업과 동시에 서울의 큰 병원으로 취직하여 부모의 슬하를 떠나고 싶어 하는 사람들뿐이라는 것이 너무나 안타깝지만 그럼에도 불구하고 그들만 탓할 수는 없는 일이다.

지역사회에서 근무하는 간호사들을 늘리기 위해서는 근무하기 좋은 여건의 병원을 만들지 않고서는 수도권이 아닌 지역을 선택하기가 쉽지 않는 일이다. 보수나 근무환경 면에서도 한참 뒤쳐진 이런 곳에서 첫 직장으로 삼고 싶은 사람은 거의 없을 테니까. 그나마 다행히 연차가 좀 있는 간호사들의 지원이 늘어난 것은 대부분 대도시 생활에 지쳐 부모님 곁으로 온 사람들인데 도시에서 누릴 수 있는 많은 것을 포기하고 좀 더 여유롭고 편안한 생활을 하기 위해 귀향한 분들이다.

전문 간호 인력의 확보는 새로운 사업을 추진하기 위한 기초체력과도 같다. 농촌 현실로 보면 혼자 사시는 독거노인도 많고, 노인부부 세대도 많아서 간호 · 간병통합서비스의 확대는 이런 간병 부담이 많은 여건으로 본다면 반드시 해야 하는 사업이다. 돌볼 여건이 안 되는 상황에서 아프신 부모님을 모신다는 게 현실처럼 간단한 문제가 아니기 때문이다.

이런 문제 해결을 위해 간호 · 간병통합서비스를 46병상으로 운영하다가 101병상을 확대 운영하게 되었다. 또한 호스피스 병동을 준비하면서 의료진과 간호 인력에 대한 전문 교육을 이수토록 하여 지역민이 요구하는 사업의 적극적인 시행으로 만족도를 높였다.

지방의료원의 경쟁력은 필요한 의료진과 간호사인력의 충원에 따라 달라진다. 특히 의료진의 보강이 수월한 도시는 그나마 어려움이 적지만 오지에 있는 의료원에는 의료진을 모시는 게 가장 힘들다. 서울이나 대도시에서 근무하고 싶어 하는 의사는 많지만 지방에 와서 근무하고 싶어 하는 의사는 드물다.

보건의료의 문제는 지역 간의 불균형이 더 문제라고 생각한다. 많은 의사가 배출되어도 실제로 지방의료원의 사정은 좋아질 것 같지 않다. 시설 면에서나 의료진에서나 인근에서 우리 의료원 같은 시스템을 갖춘 곳은 거의 없다. 김천시민들에게는 김천의료원이 있는 자체만으로도 행운인 것인데 실상은 잘 모르고 있는 것 같다. 가족 중에 입원 환자가 있게 되면 의료원을 찾고서야 이런 좋은 시설이 있다는 걸 그때서야 알게 되니 안타까울 뿐이다.

언제 위기가 아닌 때가 있었을까? 그때마다 고민을 하였고 그 동안의 경험으로 과감한 선택을 해야만 했다. 의료원 운영에 있어서 의료행정 업무에 대해 의료원장들이 잘 모르거나 행정직원들에게 너무 많이 위임을 하는 부분이 있는데 과감한 투자나 인력확보에 대한 결정은 아무도 대신 해줄 수 없다.

의료원장이라는 자리는 모든 것을 의료원의 발전에 초점을 맞추면 어떤 갈등이나 어려움도 해쳐나갈 용기가 생길 수밖에 없는 것 같다. 직장에서 일할 분위기는 직원들과 경영자가 함께 만드는 것이다. 그중에서도 경영자의 운영 철학에 따라 많이 영향을 받는 것도 사실이다. 직원들이 일관성 없는 행정을 믿고 따라올 리가 없지 않겠는가!

월급 받는 것을 걱정하는 직원에게서 어떻게 서비스가 나올 수 있을까? 자기 자리로 돌아가서 주어진 일을 열심히 하게 하는 가장 좋은 방법은 경영을 잘해서 안정된 생활이 가능하도록 월급을 받는 것을 걱정하지 않도록 하는 것이다. 월급을 잘 주면 어설픈 낭설에 휩쓸려 다닐 필요가 없다는 것은 너무나도 당연한 것이 아닐까.

한 번 정해진 일은 아주 특별한 사유가 생기지 않는 한 유지하는 것이

다른 일을 시도할 때 도움이 된다는 것도 잊어서는 안 된다. 의료원 내부의 문제는 몰라서 안한 것이 아니라 책임감을 가지고 추진할 인재가 없다는 게 문제다. 그러나 의료원장이 실천할 의지만 있다면 실행하고자 하는 문제에 대해 직원들이 더 잘 알고 있는 경우가 많으므로 밀고 나가면 단 한 개라도 성과를 볼 수 있다. 혼자서 잘 안될 때는 어려움도 공유하고 새로운 사업도 공유하는 것이 더 바람직하다.

이미 어떤 것이 문제가 되고 있다는 것을 잘 알아도 보고나 소통이 안 되어서 방치되는 경우가 더 많다. 보고 체계를 바로 잡고 어떤 것이라도 의료원에 도움이 된다면 의료원장에게 바로 보고가 이루어질 수 있도록 하는 것이 필요하며, 문제가 커지기 전에 즉시 해결하는 것이 가장 수월하다.

의료원이 적자라는 것은 월급 외에는 그 어떤 것에도 투자하기 어렵다는 것을 의미한다. 변화하는 세상에서 직원들에게 새로운 교육이나 새로운 시스템을 도입하지 않고서는 바로 따라가질 못하니 더 열악해질 수 밖에 없다. 일정부분을 비용으로 보고 직원 교육과 시스템을 만들어야 반전을 만들 수 있도록 투자를 해야 한다.

아무도 책임지지 않고 물러설 때 과감하게 일하는 분위기를 만드는 것도 의료원장이 꼭 해야 하는 일 중 하나이다. 부정적인 직원의 반응에도 망설이지 말고 과감하게 새로운 사람을 선택하는 것이 조직을 위해서나 의료원장을 위해서 도움이 된다. 일하는 분위기를 망치는 직원을 방치하는 것은 의료원이 망하는 지름길이라고 생각한다.

강력한 리더십은 오직 의료원만 생각하는 의료원장의 의지에서 나온다고 생각한다. 의료원의 암적 존재가 있다면 찾아서 설득을 하든 아니면 과감하게 정리를 하든 어떤 식으로든 해결을 해야 조직은 조금이라도 혁신이 된다. 사람 좋고 인기 좋은 의료원장이 필요할 때는 평화의 시기일 때나 가능하다.

위기일 때는 시간만큼이나 주변에 사람마저도 없기 십상이다. 애사심으로 똘똘 뭉친 직원들을 만나는 일이 그리 흔한 일은 아니니까. 허심탄회하게 의료원에 대한 깊은 이야기를 나눌 직원들이 필요하다. 직원들이 하는 이야기 속에는 매우 중요한 단서들이 있을 때가 많다. 그 단서는 전체를 이해할 수 있게 하는 밑그림이 되기도 하고 한 겹 아래 속살 같은 이야기에서 정답을 찾기도 한다.

이솝우화처럼

어릴 적 읽었던 이솝이야기에 나오는 '해와 바람'을 좋아한다.

내가 노조와의 갈등에서 벗어나 새로운 의료원으로 탄생할 수 있게 된 것은 어쩌면 '헤더 프로스트'의 도움을 받았는지도 모른다. 묵고 낡은 옷을 벗기려 센 바람처럼 강함을 자랑하였다면 아마도 우리 의료원은 아직도 그 갈등의 늪에서 벗어나지 못했을 것이다. 해처럼 따뜻한 온기에서 그들은 땀을 흘리면서 외투를 벗고 나무 그늘 밑에 쉴 수 있었으리라. 권위가 아닌 자발적인 선택을 할 수 있도록 했던 은근함이 그대로 녹아들었다고 생각된다.

의료원의 미래는 새로 입사하는 사람들의 마음에서 읽을 때가 많다. 의료원의 위상을 누구보다 피부로 가장 먼저 느끼는 사람들이기 때문이다. 새내기 직원들이 입사를 하면 언제나 제일 먼저 연수 프로그램을 만들고 그들의 기대치가 어느 정도인지를 알 수 있도록 연수 전에 몇 가지 질문을 내준다. 그들의 참신한 아이디어에서 우리의 미래가 나온다는 생각에서이다.

자신이 왜 입사를 하게 되었는지 동기를 물어보면 지역 의료원의 위상을 만날 수 있기 때문이라거나, 의료원이 나날이 발전하기 때문에 자신의 능력으로 지역사회에 기여하고 싶기 때문이라며 눈을 반짝인다. 그런가 하면 양가 부모님께서 이곳에 들어와 일하는 것이 가문의 영광이라고 말하는 경우도 있고 어릴 적 다녔던 병원이라서 꼭 근무하고 싶었다는 등의 다양한 의견들이 나온다. 이는 우리 의료원이 어떻게 지역사회에서 위상을 자리매김하고 있는지 알 수 있는 부분이다.

건전한 조직문화를 만들기 위해 어떤 노력을 해야 하느냐에 대한 질문에서는 서로의 배려가 가장 중요하다는 답변을 많이 한다. 점수를 준다면 백점을 주고 싶은 대답이기도 하다. 조직에서 서로에 대한 배려가 없다면 그 조직의 미래는 갈등 속에서 허우적댈 수밖에 없으니 말이다.

신입생 연수 때 그들이 내게 메일로 보낸 사연을 가끔씩 끄집어내어 외우고 있다는 사실을 알까? 그들이 처음 원했던 것처럼 의료원이 발전하고 있다면 이는 내가 얼마나 잘 하고 있느냐의 문제와 직결된다. 스스로 나를 평가할 수 있는 잣대가 되기 때문이다.

모두가 꿈꾸는 직장이 무엇일까? 모두가 '워라벨'을 꿈꾸는 것처럼 어느 한 쪽만의 노력으론 불가능하다. 주어진 일에 충실하고 조직 내 서로에 대한 관심과 기대에 맞는 역할을 충실히 하며 쌍방향 소통이 가능할 때, 우린 서로에게 힘이 되고 조직은 더 나은 방향으로 나아갈 수 있다. 시간과 인격이 존중되는 직장에 대한 자부심이 있다면 이미 '워라벨'을 누리는 것이 아닐까.

관리자의 품격

공부하기 전에 제일 먼저 책상을 정리하는 것은 나의 습관이다. 그래야 차곡차곡 뇌 속에 정리가 되어 시험을 쳐도 잘 친다. 일도 마찬가지라고 본다. 복잡하게 얽힌 것들을 우선 분류하고 직접 다루어야 하는 일이 아니면 과감하게 부서장께 위임하는 것만이 스트레스를 줄이고 일할 시간을 벌 수 있다.

현장에 눈을 떼지 않고 상황의 흐름을 파악하는 것도 중요하다. 일이 많을 때는 일상으로 일어나는 일보다는 조금이라도 특이한 상황만을 직접 챙겨보는 것도 일을 파악하는 데 도움이 된다. 보정할 기회는 그때가 적기이기 때문이다.

정작 했어야 함에도 신경 쓸 여유가 없다고 잠시 미뤄두었다면 미뤄둔 시간만큼 낭비하고 만다. 의료현장에서는 잠깐의 회피가 얼마나 많은 시간의 소모와 낭비를 초래하는지 누구나 한번쯤은 겪었을 것이다. 상황에 따라서 다르겠지만 감이 좋아야 한다. 문제를 파악하는 감 말이다.

관리자는 누군가의 중요한 실수를 인지하는 순간 언제나 찾아 올 수 있게 여지를 남겨 놓는 것이 필요하다. 누군가가 찾아올 때까지 기다리는 것이다. 기다림에 지치지 않고 매 순간 최적의 정신 상태를 유지하는 법을 스스로 익혀야 한다. 조직의 안정은 그것을 기반으로 쌓아 올리는 것이고, 실적으로 향하는 가장 빠른 지름길이다.

냉정을 유지하고 평온한 상태를 유지하는 자기만의 방법을 터득하지 않고서는 즐기며 일하는 방식을 가질 수 없다. 매일 수많은 도전이 앞에 놓이는데 취사선택을 할 수 없는 상황에서의 결정은 매우 중요하다. 직원들은 자신의 무게만큼만 짐을 질 수밖에 없다는 것을 미리 알아야 한다. 그들이 내려놓은 짐을 함께 지는 방법을 평소에 연습해 두지 않으면 효율적인 업무가 추진되지 않는다.

자신에게는 짐이라고 생각되지 않는 것이라도 직원들에게는 무거운 고민이며 스트레스라는 것을 알아야 한다. 어떤 갈등이나 조건 없이 가볍게 나눠서 짐을 질 때 진정한 조직으로서 앞으로 나아갈 수 있다. 예리함도 그냥 발휘되는 것이 아니다. 수많은 시행착오를 겪다가 터득되는 변별력에서 자라나는 아주 귀한 것이라고 본다.

병원은 똑같은 환자가 단 한 명도 없다. 증상과 질환이 모두 달라서 치료방법도 다 다른 것처럼 서로 협력적으로 일을 하는 조직을 만들지 않으면 안 된다. 의료서비스는 너무 난해하여 이해하기가 쉽지 않아서 지속적인 학습을 통해 변화의 추이를 제대로 파악한 조직만이 성공 가도를 달릴 수 있다.

시시각각 변하는 상황일수록, 창의력과 혁신이 요구되는 조직일수록,

리더는 더 높은 목표에 도달하기 위해 때론 자세를 낮춰야 한다. 매사에 주의 깊고 솔직한 태도로 임해야 하는 것이다.

수많은 결정을 해야 하는 두려움을 걷어내고 언제나 원칙대로 순서대로 회피하지 않고 최선을 다해 노력하였다. 다 옳았다고는 생각하지 않았지만 나쁘지 않는 선택이었고 잘못된 선택이라도 두려워하지는 않았다. 알게 된 순간 다시 하면 되니까? 신중하게 접근해야 하는 사실만은 잊은 적이 없다. 내가 전부 이해되는 것이 아니더라도 다른 의견이 있다면 받아서 최소한 맞춰 줄 때 우리는 함께 일을 하는 조직임을 느낄 수 있다. 좋은 의견을 내놓는 것이 모욕을 당하지 않고, 무시당하지 않으며, 질책당하지 않는다고 확신을 가지려면 일단은 직원들끼리라도 원활한 소통이 되어야 가능하다. 들을 수 있는 모든 것을 들은 다음 가슴으로 받아들이고 그 다음 머리로 다시 한 번 정리하고 새로운 시나리오로 다시 한 번 회의를 한 다음 정하는 모든 것은 완벽에 가까웠다. 글로 쓰는 것보다 머리로 정리하는 이 시간이 더 냉정하고 이성적으로 선택했고 그 결과는 언제나 정확했다.

의사가 행정을 하면 잘하는 이유가 있다면 두 가지 정도는 될 것이다. 환자에게 주사를 처방하고 환자 혈관이나 근육에 주사를 주입하기 시작했다면 이것은 되돌릴 수 없는 행위다. 그 때는 이미 지나간 상황이므로 그것이 잘못되었다면 고칠 수 있는 것은 아니다. 이미 잘못된 선택이었다면 차선을 찾아서 생명을 구해야 한다. 하지만 행정을 하는 데 있어서는 아집만 버리면 나머지는 아무것도 아니다. 잘못된 것을 아는 순간 언제나 보완은 가능하며 새로운 선택이 될 수 있다. 아집과 권위를 버린 결정은 언제나 긍정적인 효과를 낳는다는 것을 기억해야 한다.

혈액은 심장을 나와서 말초혈관까지 잘 도착해야 건강할 수 있다. 가는 길 어느 중간에 막힌다거나 눌려서 원활하게 흐르지 못하면 건강의 이상 신호들이 곳곳에서 나타난다. 일도 마찬가지다. 원활하게 잘 되어져야 하는 일이 잘 진행되지 않고 효과가 나지 않는다면 혈관을 점검하는 것과 같이 반드시 방해요인을 체크해야 한다. 혈액의 흐름이 어딘가에서 막히면 피부가 썩듯이 일도 어딘가에서 더 이상 진행되지 않으면 사람이 힘들거나, 들어가는 돈이 썩고 있거나 이 두 가지 결론에 이른다. 발가락 끝에서 혈관의 흐름이 잘 되는지 썩어가고 있는지를 체크하는 습관은 관리자가 언제쯤 현장에서 체크를 해야 하는지와 다를 바 없다.

되돌릴 수가 없다는 것은 늘 일을 신중하게 결정해야 한다는 것이고, 모든 장애요인, 방해요인을 찾아야 하는 것을 의미한다. 주사액은 이미 몸속에 퍼져 다시 되돌릴 수 없지만 우리가 하는 일들은 선택을 하고도 그 선택이 잘못되었다고 하는 순간 수정할 수 있다는 것을 잊지 말아야 한다. 변명만큼 구차한 것은 없다지만 잘못된 선택을 인정하는 것도 용기가 필요하다.

그것을 놓치지 않는 사람으로 살아온 게 행운이라면 행운이다. 일을 하다보면 모든 사람들이 다 우군이 아니며 혈관 안에 끼여 동맥경화를 일으키는 물질 같은 일들이 많다. 혈액의 흐름을 방해하는 물질이 혈관을 눌러 쪼그라들게 할 수도 있는 것이니만큼 원활한 흐름을 방해하는 모든 일이 관리자의 일임을 알아야 한다.

저절로 잘 되는 일은 없다. 흐름을 체크하고 선택하는 일이 자신의 몫임을 분명히 알 때 그 일의 결과는 최선을 다한 결과이고 그 성과는 자신이 누릴 수 있다. 인내심과 유연함은 결코 다른 것 같지만 둘 다 가질 수 있도록 노력해야 얻어지는 것이며 최고의 결과는 기본을 잘 지키는 것으로부터 시작된다는 것을 잊지 말아야 한다.

앙상블 합창단

앙상블 합창단을 만든 것은 우리 의료원에 남기고 싶은 선물을 만들고 싶어서였다. 10년 가까이 독일에서 유학하고 돌아오셔서 김천예고 선생님으로 재직하고 계신 서수용 선생님을 만난 것은 행운이었다.

트바로티 김호중을 가르친 서수용 선생님은 김천으로 내려와서 제일 처음 알게 된 분이다. 직지사 어느 식당에서 지인들과의 모임이 있었다. 전에 같이 근무했던 김남일 부시장님께서 돈을 잘 버는 의료원보다 새로운 문화를 심는 의료원도 좋지 않느냐며 서수용 선생님을 소개시켜 주신 것이다. 합창단을 만들고 싶다는 나의 뜻을 전해 듣고 서수용 선생님께서 곧 바로 승낙을 해주셨다.

의료원 내에 합창단이 있는 곳은 많지 않다. 치료는 의료만이 아닌 음악으로도 얼마든지 효과를 볼 수 있다고 생각하므로 나는 합창단을 만들어 우리 의료원에 선물로 남기고 싶었다. 의료진이나 환자 모두에게 일치된 하모니로 힐링의 시간을 만들어주고 싶었던 것이다.

앙상블 합창단 단장을 맡은 산부인과 김미숙 과장을 선두로 처음 30

여 명의 직원들로 시작된 합창단의 이름을 앙상블이라 짓고 세차례 음악회를 열었다. 정작 직원들의 취미활동으로 시작했지만 시간이 지날수록 환자분들과 가족분들에게 위안을 주는 좋은 봉사활동으로 자리를 잡아갔다. 이런 문화 활동은 의료원을 분위기를 바꾸는 데 도움이 되었고 숨은 직원들의 능력을 발견하는 재미는 솔솔했다.

얼마나 노래를 잘하는지 함께 음악회를 열기 위해 준비하는 동안 그들이 보여준 모습은 아름다움 자체였다. 험악했던 의료원 분위기를 단번에 러블리한 분위기로 바꾸어 나간 앙상블의 긍정적인 모습에서 의료원 식구가 서로를 알고 소통하는 장을 만드는 것이 필요하다는 생각이 들었다. 개별 모임보다는 단체 모임으로 문화 활동을 할 수 있는 모임을 만드는 것이다.

매달 생일을 맞는 사람들에게 생일파티를 해준다든지 매 달 마지막 수요일에 영화 관람을 함께 한다든지, 그런 활동들이 좋지 않을까 의견을 나누었다. 처음에는 10명 그 다음에는 20명 이제는 어떤 행사를 하던 100명은 족히 참석한다. 일단은 너무 재미있기도 하지만 이곳에 오면 얻어 갈 것이 많다. 이런 기대는 모일수록 더 좋은 분위기가 만들어졌고 나에서 우리로 바뀌게 했다.

함께 영화를 보거나, 예술회관에서 다양한 공연들을 함께 관람하는 일들이 우리가 한 식구라는 생각을 심어주기에도 충분했다. 자발적인 선택으로 참석하는 이 모임들이 성황을 이룬 것은 그 자체가 주는 즐거움 외에는 어떤 부담도 없었다는 점이다. 음악을 들을 때는 음악만을 들었고, 영화를 볼 때는 영화 외에는 다른 생각은 전혀 없었다. 참석자를 정하는 것도 스스로 선택에 의해서 하고 뭘 볼 것인가를 정할 때도 가장 많은 직원이 보고자 하는 것을 선택하였다.

나날이 참석자가 늘어나고 우리의료원의 문화체험 시간은 직원들이 기다리는 시간이 되었다. 이렇게 한 달에 하루만이라도 오롯이 직원들과 함께 하는 시간을 만들어간다는 의미는 직원들에게 어떤 어려움이 존재한다면 그 시간에 나에게 말을 해도 좋다는 의미였다. 거의 3-4시간을 함께 보내는데 영화 보기 전 부서별로 돌아가면서 같이 식사를 하는 것도 잊지 않았다.

기념일은 소통의 날

매달 생일 축하 시간을 위한 간담회를 기획한 것도 소외되는 직원 없이 모두가 한 가족임을 인정하는 행사이기 때문이다. 생일을 맞는 직원들과 함께 모여 식사도 하고 작은 선물도 건네는 이 자리는 의료진과 모든 직원들이 참석을 한다. 이런 전통은 한 사람 한 사람이 다 의료원의 귀한 사람으로 인식시켜 주는 좋은 시간이 되어 주었다.

400여명의 직원들이 각자 하는 일은 달라도 그 역할은 이 의료원에 필요하지 않는 사람이 없다는 것으로 자존감을 높이고 감사하는 시간이 된다. 모두를 초대하는 기회는 13번이나 있다. 매월 생일 축하 시간 한 번과 매월 문화의 날의 신청을 자신의 몫으로 본다면 나는 공식적으로 한 직원마다 13번의 초대장을 보내는 셈이다. 이런 모임이 활성화 될수록 누적된 문제는 없어졌다.

의료원이 발전하는 모든 일에 동참한다는 것은 자부심과 보람으로 직원들 가슴에 남아 있을 것이다. 다쳐서 입원한 두 달과 외국으로 연수를 갔던 때, 그리고 코로나19로 일상적인 거리 두기 전까지는 단 한 번도 빠트린 적이 없다. 수많은 어려움 속에서 김천의료원이 성과를 낸 것은 이런 단합된 마음에서 출발한 것이니 빼먹을 이유가 없었다.

직원들이 들려 준 수많은 이야기를 귀담아 듣고, 하나씩 실천한 것이 지금의 성과를 만든 것이다. 특별하게 할 필요도 없다. 꾸준하게만 할 수 있다면 뭐든 상관이 없다. 일관성 있게 일을 하면 신뢰를 얻을 수밖에 없는 것 같다.

그 어떤 이론보다도 중요한 것은 직원 그 자체다. 그들은 겉으로 드러나는 것보다 훨씬 더 많이 알고 있다고 생각해야 한다. 밥값을 한다는 의미이기도 하다. 각각의 의견은 달라도 모두가 바라는 것은 발전 하나임에 틀림이 없다. 모두가 근무하기 좋은 조건은 그 무엇보다도 발전하고 있다는 비전일 것이다.

기관장은 조직이 가야 할 방향을 잘 잡고 있어야 한다. 현실 인식을 잘 해야 한다는 것이다. 직원들이 기다려 준다는 것은 믿기 때문이다. 누군가 말했듯이 한 사람의 CEO가 오는 것은 그 사람의 과거와 현재와 미래가 함께 오는 것이다. 나의 성공의 절반은 직원들에게 달렸다. 그들의 도움 없이는 난 아무것도 할 수 없으니 말이다. 우리의 관계는 악어와 악어새 같은 운명임을 알아야 한다.

취임식에서 말했던 것처럼 일은 직원들이 하고 나는 책임만 지는 것을 분명하게 실천하고 있다. 특별하고 뛰어난 조직은 없다. 의지를 가지고 있는 CEO가 직원들을 바른 길로 안내하고 직원들은 그 믿음으로 걸어오는 것을 주저하지 않을 때 그 조직은 반드시 성공을 하게 된다.

그 길을 걸어야 한다면

쉽고 편한 일은 나의 몫이 되지 못했다. 언제나 다른 사람이 하지 않는 일들이 내 차지가 되는 경우가 많았는데 한편으로는 내가 하는 것에 별 관심을 갖지 않아 좋기도 했다. 어떤 일이 주어졌을 때 나에게 할 수 있겠냐고 묻는다면 어떤 상황에서도 난 '예스'다. 그렇다고 무조건 긍정의 아이콘이 되고 싶은 게 아니다. 내가 하고 싶은 일이 눈앞에 나타났을 때 그 일을 위해 보이지 않는 노력과 인내를 할 수 있느냐 하는 질문에 '예스'라는 것이다.

새로운 프로젝트를 만들기 위한 회의를 할 때마다 난 느낀다. 그 일을 해야만 하는 이유가 20개라면 하지 말아야 할 이유는 20개가 더 넘는다는 사실이다. 사람들은 새롭게 뭔가를 하는 것을 두려워한다. 지금도 감당하기 힘든데 일이 보태지는 것을 결사적으로 막을 준비를 하고 있는 것처럼 보인다. 이렇게 미묘한 감정의 흐름을 재빨리 알아차리는 것이 중요한데 여기에는 명분과 의지가 들어 있어야 한다.

아무런 조건 없이 일을 더 보탤 수는 없다. 좋은 조건을 내걸 수 있다면 그 순간 유리한 상황으로 전환이 가능하다. 오직 가능한 길 쪽으로 살짝 밀어서 그 길을 걸을 수밖에 없는 상황을 연출하여 유일한 대안임을 각인시킨다면 반드시 출발선에 설 수 있다. 저항은 무겁게 짓누르지만 그것은 수면으로 가라앉기 때문에 더는 올라오지 못하게 더 좋은 조건으로 만들어 나가야 하는 것이다.

모두가 빠져나간 빈 회의실에서 침착했던 자신을 마주하고 그 리얼한 선택을 곱씹어 보는 것을 즐긴다. 그때 떠오르는 사람이 분명 있다. 보고 싶은 사람이기도 하고 유능한 직원을 발견하는 곳이기도 하다. 내가 밀어 붙여도 눈 하나 깜빡하지 않고 침착함을 놓치지 않는 사람을 발견하면 나보다도 더 성장할 수 있겠다는 느낌이 들어 매우 즐겁다.

더 많은 일을 위임할 수 있다면 그것이야말로 시간의 확보이며 자유시간이 더 늘어난다는 것을 의미한다. 적은 시간을 투자하는 것은 좋지만 반복하는 시간만큼 지루한 것은 없다. 자신만의 시간의 확장은 더 창조적으로 일할 수 있는 조건이 된다.

누가 나의 시간을 덜어 줄 수 있을까 생각하는 것도 매우 중요한 문제이다. 다시 말하자면 기관의 장이 여유로운 시간이 많을 때가 바로 성과로 이어지는 시간이라는 것이다. 일이 많다는 것은 아직도 무거운 짐을 잔뜩 지고 있다는 것을 의미하니까. 자신에게 일을 시켜달라고 부탁하면서 찾아다니는 사람만큼 무능한 게 없다. 함께 일하자고 하는 사람들이 많다면 그것은 잘하고 있는 것이다.

기본이 탄탄하면 단숨에 새로운 직무를 익힐 수 있다. 거의 모든 관리는 사람이 하기 때문에 조직은 어떤 일을 하든 그 속에 속한 사람들의 관리에는 별로 문제가 없다. 문제를 몰라서 어려운 게 아니라 문제라는 걸 알지만 그것을 해결할 의지가 없는 사람들이 모여 있다는 것이 문제다. 그러니 의지가 충분한 사람에게는 문제가 될 게 없는 것이다.

현장 응급의료소를 설치하라

2014년 2월 17일 그날은 월요일이었다.

퇴근을 하고 집에서 쉬고 있는데 관내에서 마우나 오션 리조트 붕괴 사고가 났다는 것을 방송 속보를 통해 알게 되었다. 강당 건물이 폭설로 무너져 내려 부산 외대 신입생 오리엔테이션을 진행하는 동안 갇히면서 사망자가 10명이나 나왔고 부상자는 200명이나 나온 사건이다.

바로 사무실에 비상상황을 전달하고 모든 의료진들에게 현장으로 오라고 해두고 현장으로 출발하였다. 현장은 집에서 거의 한 시간이나 걸리는 먼 곳이었다. 마우나 오션으로 가는 길은 경주 외동을 지나 울산방향에서 좌회전을 하여야 접근되는 곳으로 위치로 보면 울산과 더 가까운 곳이었다.

비상상황을 알리는 시장님의 전화를 받으며 현장에 도착했을 때는 이미 많은 차들이 몰려 입구마저 자동차로 가득 찼고 눈이 많이 온 뒤여서 갓길에는 눈이 가득 쌓여 있었다. 현장은 언덕 위에 놓인 체육관이라서 올라가는 길가에 주차된 차들로 인해 현장을 확보하는 데 어려움이 많았고 소방서 구급차도 도착을 했지만 진입이 어려워 아수라장이었다.

체육관 가운데가 내려앉아 연수 받으러 온 학생들이 얼마나 많이 현장에 갇혀 있는지 알 수 없었다. 생사를 다투는 심각한 상황을 현장에서 잘 파악해 빨리 구조를 해야만 하는데 빠져나올 수 있는 사람들은 다 빠져나왔지만 아직 갇힌 학생들의 수가 얼마나 되는지 알 수가 없었다.

체육관 입구에 현장응급의료소를 설치하였다. 현장에서 구조되는 사람들이 나올 때마다 현장 응급소에서 환자 상태를 파악하고 이송 가능하다고 판단이 되면 구급차를 이용해 인근 의료기관으로 후송하는 것이다. 한꺼번에 환자들이 몰리면 중증환자들이 수술을 받지 못하는 상황이 벌어지므로 분산 이송도 중요했다. 멀게는 경주 동국대학병원으로 또는 부산대 병원으로 이송해야 했다.

처음으로 현장에 도착한 것은 현장과 가장 가까운 곳에 위치한 울산의대 권역응급의료센터 재난의료지원팀이었다. 현장은 경북이고 권역응급의료센터가 출동해야 하는 의무는 안동병원이지만 사고 현장이 울산시와 인접한 곳이다 보니 울산대학병원에서 가장 먼저 현장에 도착한 것이다. 영하의 추운 날씨에도 불구하고 수술가운만 입고 현장을 누비는 레지던트가 먼저 구조되는 응급환자를 지역의료기관으로 이송하였다.

안동병원에서 현장까지 오는 시간이 거의 3-4시간이 소요되어 자정쯤 도착하였다. 이렇게 많은 시간이 걸리면 응급환자의 생명을 지켜낸다는 것이 장담할 수 없게 된다. 이에 우리는 초비상사태에 대처할 방법을 찾아야 했다.

얼마 지나지 않아 울산대학병원에서 현장구급차가 도착하였고 현장에 이동병원이 설치되었다. 병원으로 이송되기 전에 사망자가 속출할 수 있기 때문에 수술이나 응급구조가 현장에서 가능하도록 권역응급의료센터를 설치한 것이다. 이 엄청난 일은 대한민국에 재난의료지원팀 DMAT(disaster medical assistance team)이 운영된 첫 번째 사례다.

울산대학병원 재난의료지원팀의 활약이 없었다면 더 많은 생명을 구하지 못했을 것이다. 의사회도 동원이 되었고, 보건소 의료진도 현장으로

다 모였지만 구조작업이 되지 않아 모두가 CPR이라도 하기 위해 대기하고 있었다. 긴 긴 시간을 추위에 떨면서 학생들이 구조되기를 기다렸다. 얼마나 긴 시간이었는지 모른다.

관내에서 발생한 사고여서 나는 현장응급의료소장으로서 운영을 맡았고 나의 역할의 중요함을 그 때 사건 현장을 통해 배웠지만 언론은 그리 좋게만 다루지 않았다. 지역의 소방서장님과 경찰서장님, 그리고 보건소장인 나와 함께 청와대에서 회의가 있었는데 부실한 대처에 대한 이야기가 나왔다. 부족했던 부분은 반면교사 삼아 철저한 준비를 해야 한다는 교훈을 얻기도 했다.

그 날 이후 현장응급의료소장으로서의 역할에 대한 강의 요청이 이어졌다. 응급의학회와 경북 보건소장회의 때, 서울시 25개 보건소장 회의 때에도 강의를 하게 되었다. 사건 현장에서의 응급의료센터를 획기적으로 설치한 긍정적인 효과와 보완해야 할 사항들에 대한 강의는 이후 보다 빠른 의료 응급시스템 구축을 위한 숙제로써 해결안을 모색하게 했다.

이제는 훈련을 통해 어떤 재난상황이 벌어져도 응급 시스템을 현장에 바로 적용할 수 있게 발전을 거듭하고 있다. 많은 예산이 투입된 만큼 대형사고 현장의 응급 구조차 안에서 수술도 가능한 기능이 장착되어 현장병원으로서의 역할을 다 할 수 있도록 시스템을 갖추게 되었다.

공공의료의 역할, 행복병원

의료원장이 되면서 자주 이런 이야기를 하곤 했다. 늘 가슴에 담고 이야기함으로써 무슨 일이 있어도 지켜야 할 것에 대한 자신과의 약속을 기억하는 나만의 방법이기도 했다. '진료를 받지 못하는 사람은 우리가 관할하는 곳 서북부 7개 시군에서는 없도록 하자' 공공지원부에 거는 기대가 이 말에 모든 의미를 함축하고 있다. 진정한 지역사회 연계를 하고 싶다는 것이 내 생각이니 말이다.

보건소장을 할 때의 일이다. 어느 날 진료실에 환자가 와서 진료를 받은 후에도 진료 침대에서 일어나지 않는다고 했다. 무슨 일이 일어나도 제대로 난 줄 알았다. 대단한 의료 사고라도 난 줄 알고 뛰어 내려갔다. 50대인지 60대인지 가늠하기 어려울 만큼 몰골이 형편이 없어 보였다.

"환자분 여기는 이렇게 계속 계시면 안 되는 곳입니다. 일어나 가셔야지요."

"저는 이곳에서 진료를 받지 못하면 여기서 죽을랍니다."

"그래서 어디가 아프신지 좀 봅시다."라고 온통 머리를 감싸고 있는 붕대를 풀어보니 이미 머리에 난 상처주위로 곪아서 머리가 부풀어 올라 고개조차 들기 힘들어 보였다.

"여기서도 치료하기 힘들겠네요. 치료를 받을 수 있도록 해 드릴게요."

상태가 너무 좋지 않았다. 옆에 따라 온 진료팀장께 동국대학 응급실에 환자를 보낸다고 전하라는 지시를 하고 사무실로 돌아왔다.

조금 지나니 동국대 응급실에서 연락이 왔다. 응급으로 수술을 해야 하는데 환자가 신분증도 의료보험증도 없고 가족도 없어서 수술하기 어렵다는 것이었다. 산 넘고 물 건너 또 산이 가로막고 서 있는 느낌이 들었다.

나는 내가 임시보호자고 내가 보증을 설 테니 우선 수술부터 할 수 있게 해달라고 협조를 구했다. 그래도 관에서 협조를 부탁하니 가능할 것이라 생각했지만 보호자가 없으니 수술을 못하겠다고 하는 일이 일어나서는 안 되겠다 싶어 진료팀장을 동국대 병원으로 보냈다.

한참이 지난 어느 날 그 환자분이 내 방을 찾았다. 퇴원을 자신의 집이 아닌 내 방으로 한 것이다. 너무 놀라고 기가 막혀 자초지종을 알아보니 다행히 수술은 잘 받았지만 환자의 주소지로 연락해보니 주민등록이 말소된 사실을 알게 되었고 이로 인해 수술비는 긴급의료지원으로 받았다는 것이다.

본인부담금은 동국대 병원 내 자원봉사단체에서 감당하였고 모든 게 순조롭게 진료를 잘 받았다는 내용이었으나 문제는 그 이후였다. 퇴원을 하라고 했지만 환자분이 집에 가지 않는다고 어떡해야 하느냐며 병원에서 연락이 왔었다고 했다.

퇴원비까지 다 내 주었는데도 퇴원을 안 하는 이유를 물어보니 '입고 나갈 옷이 없다'고 해서 체육복과 운동화를 사서 입을 수 있게 하고 퇴원을 시켰다는데 그 환자가 내 방으로 퇴원을 해서 온 것이다. 돌아갈 차비와 거처할 곳이 없다는 것이었다. 차비를 주고 안강읍으로 보낸 뒤로는 소식이 없어서 다행이었지만 그 안타까웠던 기억이 아직도 난다.

이게 대한민국의 현실이었고 한 번을 도와주면 모든 것을 감당할 각오를 해야 한다는 것도 알았다. 이 한 사람을 통해 우리 사회에는 열악하고 불우한 환경에 노출되어 있는 이들이 너무 많다는 것을 증명해준 셈이다. 누군가가 또 이런 상황을 맞게 되는 경우가 없도록 돌봐야 하는 곳이 바로 지역사회 전체임을 절감한 사건이었다.

수많은 절차와 규정이 있어도 적용하기에는 힘든 상황들이 너무 많다. 내가 외면을 하면 더 이상 견디지 못해 죽는 수밖에는 다른 희망이 없는 사람들이 너무도 많다는 것은 비극이다. 행정은 나날이 발전해 가니 과거보다는 좀 나아지고 있을 거라 생각하겠지만 현실은 그렇지 못하다.

그 동안 보건소뿐 아니라 의료원에 와서도 수년을 그 일에 매달려 지역사회에서 진료는 받을 수 있게 하는 일에 전력을 다했지만 하나를 해결해 놓으면 또 하나가 발목을 잡으니 혼자서 해결할 수 있는 것은 한계가 있었다.

우리 의료원에서는 이처럼 의료 취약지역에서 진료를 받지 못하는 환자분들의 의료서비스 제공을 위한 이동형 진료실인 행복병원을 운영하고 있다. 매주 2회 경북 서부권 7개 시군에 의료취약지인 현장으로 이동하여 진료를 하고 있는데 지역보건소와 연계해서 하는 사업으로 주민들의 호응이 매우 좋다.

만성질환이나 병원이 멀어서 가지 못하는 거동이 불편한 노인들, 그리고 독거노인들과 교통이 불편해서 병원에 가기 어려우신 분들이 많이 이용한다. 이동형 진료실 행복병원에는 심전도, 초음파, 골밀도 검사, 혈액 검사, 소변검사, 일반 X-ray 촬영도 가능하고 필요에 따라서는 경북대학 병원과 연계해서 다양한 전문의 선생님들을 모시고 진료를 제공하고 있다.

이처럼 의료 취약계층을 대상으로 적극적인 치료와 간호간병 통합서비스 등 어느 하나도 소홀히 하지 않고 의료 사각지대에 놓인 어려운 이웃에게 힘이 되어주고 있지만 아쉬움이 있는 것도 사실이다. 현장에서 하는 의료서비스에 대한 환자분들의 만족도가 높아 행복병원이 자주 오길 바라지만 7개 시군의 지역이 넓어서 돌아가며 가다보니 자주 방문하기가 쉽지 않은 현실이기 때문이다.

어느 마을에 작은 방 한 칸에 사시는 고령의 할머니는 가족도 친지도 아무도 없이 생활보호 대상자로 나라에서 지원금을 받으면서 생활하고 있었다. 집안에서 거의 기어 다니면서 생활을 하고, 심지어는 빨래도 널 수 없어 주인집 아주머니가 빨래를 널어주셨다고 했다. 기초생활 수급비 60만원으로 월세와 생활용품을 구입하고 나면 늘 쪼들리는 생활의 연속이니 다리 치료를 받을 생각은 할 수가 없었다.

이런 소식을 듣고 할머니 집으로 찾아가 우리 병원으로 모시고 와서 수술을 하고 간호간병서비스를 받을 수 있게 하였다. 가족도 없이 혼자 외롭게 생활하고 계시다가 행복병원을 만나 간호서비스를 받게 된 할머니는 지금까지 살면서 한 번도 이런 호사를 누려본 적이 없다며 감사의 눈물을 흘렸다.

오죽하면 오래오래 병원에 머물고 싶다고 하셨을까. 돈이 없어 병원치료를 받을 엄두도 내지 못했던 지난날을 생각해보면 수술 후 걸어 다닐 수 있다는 이 상황이 믿을 수 없다고 하셨다. 이해가 되었다. 영양소가 골고루 담긴 맛있는 식사와 평안한 잠자리, 무엇보다도 가족의 사랑을 한 번도 받아보지 못했던 할머니에게 의사와 간호사들의 친절과 따뜻한 미소를 평생 잊을 수 없을 것 같다며 감사함을 눈물로 보이시던 할머니의 모습이 나도 오랫동안 잊혀지지 않을 것 같다.

돈이 없어 귀중한 생명을 잃어버리거나 치료받지 못해 고통 받는 사람은 없어야 한다. 공공의료의 역할은 의료를 통한 인간의 존엄성을 실천하고 삶이 힘겨운 사람들에게 희망의 빛이 되어야 하는 것임을 모두가 잊지 않아야 한다.

해외의료봉사, 인도네시아 수방시

인도네시아 수방시와의 인연은 김천시장님 요청으로 이루어졌다. 김천시가 수방시와 자매도시로 교류를 시작하면서 그 도시에서 가장 필요한 의료에 대한 지원요청이 있어 수방시의 초청을 받고 첫 방문을 하게 되었다.

수방시에서 가장 큰 병원SRUD(Subang Rumah Sakit Umum Daerah Hospital)에서 본 인도네시아의 의료수준은 우리가 생각했던 것보다 더욱 열악했다. 병원을 들어서자 사람들이 어찌나 많은지 시장터를 방불케 했고 병동을 둘러보는데 누가 환자고 누가 보호자인지 구별할 수 없었다. 그들의 설명으로는 침대 위에 앉아 있는 사람이 환자이고 침대 옆에 의자에 앉아 있는 사람이 보호자라고 했다. 침대 시트는 아예 없고 환자복이라는 개념 자체도 없었다.

흩어져 있는 병동에는 마치 시장바닥에 와 있는 것처럼 사람이 붐비고 병원 마당에서는 가족들이 둘러 앉아 불을 피우고 음식을 만들어 환자와 같이 먹고 있었다. 우리나라에서는 상상도 못할 일들이 그곳에서는 이루어지고 있었다.

앰블런스가 고장이 나도 부속이 없어 고칠 수가 없고 설령 선진외국에서 좋은 장비를 받았다 해도 사후관리가 안 되어서 세워두는 경우가 많았다. 의료진도 오전에는 개인적으로 열어놓은 자신의 병원에서 일을 하고 오후에는 이런 공공병원에서 봉사를 하는, 우리와는 전혀 다른 의료시스템을 가지고 있었다.

그러다보니 자신의 병원에서처럼 이런 공공병원에서 더 잘하리라는 것은 바랄 수도 없다는 생각이 들었다. 진료도구는 고작 청진기 하나가 전부였다. 응급실을 들여다보니 의료장비라고는 혈압계밖에 보이지 않았고 인공신장실의 노후 된 투석기가 작동하는 게 신기할 정도였다.

인도네시아에서의 5박 6일은 나에게 많은 생각을 하게 만들었다.

나는 한국으로 돌아온 즉시 의료진을 꾸려서 인도네시아 수방병원으로 파견을 보냈다. 그 병원의 열악함은 이미 눈으로 파악이 되었지만 우리 의료진이 경험한 수술실에서 더 적나라하게 들어났다. 파견된 의료인 중 일반외과 과장님께서 수방시 의료진과 협진하여 수술을 하러 들어갔는데 상처를 꿰매기 위해 바늘을 잡는 캘리가 이가 맞는 게 없어서 수술부위을 봉합하는 데 너무 힘들었고 외래진료를 하는데 초음파 등 의료기기가 제대로 있는 것이 없었다고 했다.

수방시의 병원에서 보낸 의료진의 보고에 의하면 우리 의료원의 장비수준은 최고라고 입을 모았고 그 열악한 상황을 그저 보고로만 받고 끝

낼 수가 없어서 시장님께 다음과 같은 건의를 하였다. '수방시의 교류단이 김천시를 방문할 때 의료진들도 포함되어 있으니 우리 의료원에서 연수 프로그램을 만들어 보여주고 싶다'는 의견을 낸 것이다.

이런 건의가 받아들여져 수방병원의 여러 명의 의사들과 간호사와 행정요원들이 김천을 방문했고 그들은 한 팀이 되어 우리 의료원에서 연수를 하게 되었다.

의사들은 한결같이 책에서 본 장비들이 갖춰진 의료원을 보고 부러움에 입을 다물지 못했고 CT와 MRI같은 장비들은 처음 보았다며 신기해했다. 의료원의 청결함에 적지 않게 놀라는 눈치였다. 그도 그럴 것이 수방병원은 소독이라는 개념 자체가 없고 거의 다 일회용을 사용하는데 수방시의 큰 병원인 RUSD에서도 수건 하나로 여러 환자들이 나눠 사용하는 기가 막힌 상황과는 너무나 대조적인 모습에 놀랄 만도 했을 것이다.

실제 그들에게 직접 도움이 되는 의료기술과 장비들을 보여주고 활용하는 모습을 보여주니 너무도 도움이 된다면서 좋아했다. 그들은 하나라도 더 배우기 위해 많은 시간을 우리 의료진들과 함께 의료원 곳곳을 견학하는 것을 원했고 각 실을 둘러 볼 때마다 선뜻 자리를 떠나질 못했는데 이런 모습을 보니 짠한 마음이 들기도 했다. 문화의 차이는 있을 수 있으나 의료 부분에 있어 현저한 차이는 생명이 담보되기에 그 격차를 줄일 수 있어야 하는데 이건 생각이나 마음만으로 해낼 수 있는 일이 아니니 큰 숙제로 남았다.

수방시에 장비 하나를 지원한다 해도 얼마 가지 못할 것은 뻔한 일, 의료와 관련된 모든 것들이 전반적으로 좋아지지 않고서는 의료장비 하나 더 있다고 해서 해결될 문제는 아니었다. 수방시에서 받았던 환대를 생각하면 그들에게 더 나은 의료사업을 펼칠 수 있는 계기가 될 수 있길 바라는 마음이 컸던 만큼 방법에 대한 고민도 컸다.

그들에게 중요한 것은 병의 감염에 대한 중요성을 인지시켜 주는 것, 그래서 우리는 수방시 의사와 간호사들에게 감염에 대한 개념만 심어주어도 장족의 발전을 할 것이라 생각하고 이번 연수 프로그램을 감염에 초점을 맞춰 집중적으로 진행했다.

그 이후에도 세 번이나 더 연수프로그램을 만들어 그들을 참여하게 했고 머리 좋은 사람들이 보고 갔으니 분명 잘 적용할 것이라는 생각으로 4년이 흘렀다.

그런데 놀라운 일이 펼쳐졌다. 우리와 4년 간의 교류로 그 병원은 어마어마하게 바뀌었다. 시장통 같은 병원 마당에 있던 수많은 사람들이 다 사라지고 병원은 그 어느 때보다도 깨끗하게 관리되고 있었다. 환자복은 아직 입고 있지 않았지만 준비 중에 있다고 수방시장님께서 말씀을 해주셨다.

무엇을 바꾸어야 하는지를 알고 그것을 실행에 옮긴다는 것은 쉽지 않는 일인데 병과의 싸움에서 감염을 막기 위해 청결함을 유지하는 것이 얼마나 큰 것인지를 인지했다는 것이 얼마나 다행스러웠는지 모른다.

수방시 병원의 의료진과도 많이 친해져서 다들 친구로 지내고 있다. 언제든지 한국에 오면 전화도 하고 김천을 방문해서 식사도 한다. 돈으로 좋은 장비를 지원해 줄 수도 있겠지만 의료지원시스템을 만들어 주는 것도 아주 중요하다고 생각되었다.

의사들이 열심히 일할 수 있게 좋은 의료 환경을 만드는 것은 의료정책 중 자원을 얼마나 배분하느냐의 문제로 결론이 나기 때문에 인도네시아에서는 의료에 대한 실권을 가진 시장님의 관심이 절대적일 것이다.

의료진 외에도 직원들과 정책을 지원하는 수방시의 의료관료들에게도 함께 교육의 기회를 드린 것은 참 잘했다는 생각이다. 지금도 여전히 한국을 방문하면 김천의료원으로 오셔서 검진도 받으시고 치료를 받으신다. 작년에는 의료진이 온 것이 아니라 시장님과 의장님 병원장님 내외분들만 와서 좀 아쉬웠다. 지금은 코로나19로 아직 교류가 재개 되지 못하고 있지만 정리만 된다면 다시 의료진을 파견하는 일을 계속하려 한다.

해외 봉사를 다녀 보니 우리나라 의료수준은 세계 어느 나라보다도 국민에게 유리하게 만들어져 있다는 걸 알 수 있었고 어려운 나라를 많이 다니다 보니 대한민국이 얼마나 잘 사는지도 알 수 있었다. 베트남이나 캄보디아와 같은 해외의료봉사를 할 수 있는 기회가 주어졌을 때 나는 개발도상국의 의료 수준을 눈으로 보지 않으면 알 수 없으니 얼마나 열악한지 눈으로 담아 두기 위해 함께 했었다. 남아프리카 공화국 바로 옆 작은 나라 스와질랜드를 갔었던 이유도 아프리카에서는 의료봉사가 어떻게 이루어지고 있는지 알기 위해서였다. 이 모든 것은 나중의 봉사를 위한 사전 준비가 될 것이다.

나는 앞으로 평생을 해외의료지원사업에 봉사를 하고 싶다는 생각을 가지고 있다. 그래서 국제 의료를 함께 배운 동기들끼리 '굿 월드'라는 국제봉사단체를 만들었다. 아직은 눈에 띄게 활동을 하고 있지는 않지만 퇴직을 하고 나면 정식 등록을 하고 재단을 만드는 일이 가장 먼저 해야 할 일이다.

2020년 COVID 19 전장에서

조용하다. 바람도 한 점 없다. 자동차소리도 사라지고 사람들이 부산하게 다닐 때가 있었는지조차 의심스러울 정도로 적막감이 돈다. 창밖에서 봄빛이 스며들고 있다. 벚꽃인지 아닌지 알 수 없는 꽃냄새가 난다. 눈이 부셔 내려다보았지만 길거리에 다니는 사람 하나 없다. 코로나19가 만들어 낸 새로운 삶이 눈앞에 펼쳐졌다.

우리는 이렇게 고독해져 가고 있는 것이다. 사람들이 병을 옮길 수 있는 존재로 서로에게 피해를 줄 수 있는 존재로 여겨지게 만들었다. 가족들 외에는 아무도 만나지 않는다. 사회적 거리가 아니라 심리적 거리마저도 멀어져가고 있다. 평범했던 일상이 그리워진다.

고요하다 못해 창밖이 꼭 그림 같다. 공포와 불안감이 코로나 환자보다도 더 무섭다는 소리다. 환자가 들어온 지 약 한 달을 넘겼다. 의료진은 물론이고 직원들도 지쳐가기 마련이다. 나도 이제는 좀 식상해 간다. 대부분 병원에서 밤을 샜고 집에라도 가는 날이면 새벽별을 보며 출근하고 어둠이 짙게 깔린 아무도 없는 시간에 무심하게 쏟아지는 별을 보며 퇴근을 했다.

시작은 언제나 끝이 있기 마련이니 조급하고 초초하게 기다리지 말고 시간이 흐르는 대로 일을 하자고 나를 다독인다. 갑자기 들이닥친 위기는 사람들로 하여금 시험에 들게 한다. 똑같은 무게라도 두려움의 크기나 불안감의 크기가 받아들이는 사람에 따라 그 강도가 다르고 살아온 굴곡이 여기저기서 튀어나온다. 발끈하게 아니면 뭉근하게 말이다.

2020년 2월 19일, 멀리서 시커먼 파도가 밀려오는 듯하다. 오늘 김천의료원에 진료 받으러 오신 환자분들이 904명이다. 대구에서 코로나19 31번 확진자가 지역의 방역을 뚫고 나온 뒤로 외래환자 중에 분명 코로나 확진자가 섞여 있을 수도 있다는 의심을 하지 않을 수 없었다.

1월 말부터 의료원에 오시는 모든 분은 마스크를 착용하지 않고서는 출입문을 열고 들어올 수 없게 일단은 차단을 하고 전 직원은 마스크 착용은 물론 손 소독제로 철저히 방어하지만 불안하다. 전체 진료공간을 매일 소독하고 준비하고 있지만 불안감을 떨칠 수가 없다.

오후 3시쯤에 흉통으로 내원한 40대 여성분이 코로나 폐렴이 의심되어 검사를 의뢰하였고, 연이어 들어온 22세 고열환자는 베트남을 다녀왔다고 한다. 코로나로 인해 의료원이 뚫리는 것은 시간문제라는 생각이 들었다. CCTV를 돌려서 누가 접수를 하였는지 환자가 어디로 이동했는지도 파악하여 그들이 머문 모든 곳을 소독을 하고 검사결과가 나오기를 기다린다. 제발 아무 일 없기를 바라는 마음이 간절하다. 단체 줄넘기를 하듯 한 사람의 낙오도 없이 이 상황을 뚫고 나가야만 한다.

벚꽃은 꽃망울을 터트렸는데

어제 밤에 비가 내렸나보다. 녹초가 되어 퇴근해서 잠에 빠졌더니 밤새 촉촉하게 내린 비도 느끼지 못했다. 벚꽃이 꽃망울을 터트리기 시작했다. 분홍빛이 이 새벽에 포근하게 느껴졌다. 도로 가운데 소나무 조경이 한 눈에 들어오기는 처음이다. 분재처럼 낮고 작게 서 있는 소나무가 일렬로 정리된 것을 이처럼 오래 쳐다 본 적은 없었다. 누군가의 정성어린 손길을 그냥 지나쳐간 것은 아닌지 약간은 미안한 마음마저 들기 시작했다.

차도 인적도 드문 이 넓은 대로를 유유히 빠져나오면서 문득 생각이 들었다. 벌써 이곳에 온 지도 5년 하고도 한 달을 더 보내고 있다는 생각과 지금 이 낯섦은 이곳에 관심이 없었다는 것을 깨달았다. 모두가 쳐다봐 주기를 숨죽여 기다리고 있었는데 그냥 스쳐가기만 했던 것이다. 그랬다. 소나무는 마음을 헤집고 봐 주질 않았던 것들에 우선순위를 내어주고 언젠가는 그 머물 시선을 위해 남겨놓고 우연인 듯 내 앞에 새롭게 나타나 그동안의 무심함을 일깨웠다.

밋밋한 도시 한복판에 잘 다듬어 놓은 조경을 오랫동안 쳐다 본 사람이 있을까? 누군가의 정성을 이토록 깊이 생각해 줄 사람이 남아있을까? 사람들은 쉽게 잊고 또 쉽게 스쳐간다. 흙 묻은 장갑을 끼고 땀 흘리면서 작은 소나무가 아름답고 멋지게 보이게 하기 위해 만들었던 그 손을 우리는 아무도 기억하는 사람이 없는 것을 당연하게 여긴다. 아마도 그 노동자의 가슴속에나 영원히 추억으로 살아남을는지.

어쩌면 나 역시도 지나가면 잊힐 일들에 목숨 걸듯이 숨 가쁘게 달리면서 시간을 보내고 있는지도 모르겠다. 복잡한 하루의 시작, 머리를 최대한 비우고 일에만 집중하자 다짐하며 사무실 문을 열자 절간 같은 고요가 엄습하니 사무실에 발걸음이 끊이지 않던 그 일상들이 그리워졌다.

뛰어다니던 직원들에게 사뿐히 걸어 다니라고 하던 때가 있었던가 하는 생각이 들었다. 그야말로 숨죽이고 산다는 것이 이런 거구나. 코로나 환자들이 들어온 이후 직원들은 그 많던 말마저도 없어졌다는 사실을 한 달이 지난 오늘 눈에 들어왔다. 왜들 저렇게 주눅이 들었던가? 가슴이 찡하다. 활기찬 하루를 만드는 것도 나의 몫임을 또 한 번 절실하게 느낀다.

모두가 나의 눈치를 보고 있구나. 애써 미소로 답을 보낸다. 신경 쓸 필요가 없다. 각자 주어진 일에 최선을 다해 열심히 임하길 바란다는 뜻으로 미소를 한껏 띄어 보냈다. 고민이 있어도 고민스런 얼굴을 할 수도 없구나. 이게 나의 삶임을 알아차리는데 걸리는 시간이 그리 오래 걸리지 않았다. 힘을 내야지.

살아가면서 아픈 경험은 다시는 맞닥뜨리고 싶지 않지만 우리 마음대로 되지 않는다는 것도 알게 해준다. 신종플루가 대한민국을 덮쳤을 때도, 2015년 메르스가 의료기관을 초토화시켰을 때도 그랬다. 이토록 어려운 코로나 19 난국에서도 냉정을 유지하면서 그 파도를 넘어 헤쳐 나올 수 있었던 것은 메르스로 인한 깊은 상처를 극복하는 과정에서 생긴 무한 대처능력의 결과라고 할 수 있겠다.

실패한 경험은 언제나 깊은 상처로 남고 그 상처 위로 건져 올린 열정은 이 난국을 풀어가는 선물 같은 열쇠임을 실감케 해준다. 저절로 알아지는 것은 없다. 그저 맞서서 당하며 몸으로 익혀야만 오랫동안 남아있을 수 있다. 실패를 해보면 그것이 가져다주는 아픔의 크기를 알게 되고, 그렇게 방심하지 말아야지 하는 절박한 상황이 되지 않고는 알지 못한다.

집단지성이 발휘한 기적

너무너무 지루했던 그 봄이 쏜살같이 지나가버렸다. 한 차례 휘몰아치던 폭풍우가 지나간 듯 언제 그랬냐 싶을 정도로 의료원은 조용하다 못해 적막하다. 바람 한 점 없다. 낮에 내리는 햇살은 흐드러지게 피었던 벚꽃 나무마저도 나른하게 만들었다.

코로나 19로 인해 의료원의 환자들을 모두 다른 병원으로, 집으로 보내고 병상이 완전 소개되던 그날부터 오늘까지 눈코 뜰 사이 없이 바쁘고 두렵고 힘들었던 시간들이 겨우 두 달밖에 지나지 않았는데도 그런 일이 언제 있었는지조차 모를 만큼 일상으로 돌아가는 듯했다. 우리가 너무도 잘 잊는 걸까. 아니면 너무도 빨리 상황에 익숙해져 가는 걸까.

“코로나가 걸려도 좋으니 퇴원만은 시키지 마세요. 나는 갈 데라곤 이 병원밖에 없으니까 제발 가라고 하지 마세요.”

수없이 달래서 퇴원을 못하겠다고 고집을 피우던 환자분들의 옷을 갈아입히고 병원을 떠나보낼 때 그 모습은 전쟁통에 피난 가는 모습과 흡사했다. 그래도 얼마간 입원을 했다고 보호자들이 양손에 가득 보따리 들고 어깨를 축 늘어뜨린 채로 병원 문을 나가는 모습은 우리가 처한 상황이 얼마나 암담한지를 보여주기에 충분했다.

병이 중하여 갈 곳을 정하지 못해 임시로 중환자실에 모아둔 환자분들은 어디에서 목숨을 구해야 하는지 망연자실하고 있었다. 코로나 19 검사를 해서 음성 환자만 받겠다던 병원마저도 의료원에서 보내는 환자를 속 시원하게 받아주지 않아서 애를 먹었다.

우여곡절 끝에 병원을 다 비웠다. 의료원이 생긴 이래 전체 환자들을 다 비운 적은 단 한 번도 없었다. 늦은 밤에 혼자서 그 텅 빈 병원 복도를 걸었을 때 목표병상을 확보했다는 안도감보다는 시꺼먼 파도가 어떻게 덮쳐올지 가늠하기 힘든 순간에 서 있다는 두려움이 밀려왔고 온몸에 소름이 돋았다. 미리 준비해 둔 임시 음압병동으로 들어오기 시작한 코로나19 환자들을 받으면서 한꺼번에 밀려드는 환자들을 다 받을 수 없어 새벽에도 병동을 만들면서 병상을 늘려 환자들을 받았다.

밤을 세워가면서 공사를 할 수밖에 없었던 것은 의료진의 안전을 조금이나마 더 확보하지 않고서는 일을 하게 할 수가 없었기 때문이다. 말이 병상을 만들면서 환자를 받았다고는 하지만 그 소란스러운 드릴과 못 박는 소리가 조용한 의료원에서는 우렛소리처럼 들려도 단 한명의 환자도 불평하지 않았다. 199명의 환자가 입원했던 2020년 3월 6일은 그야말로 영화에서나 볼 법한 전쟁터를 방불케 했다.

어느 의료원보다도 발 빠르게 281개의 병상을 만들었고 의료진들이 안전하게 일할 수 있도록 기발하게 클린 존 설치를 멋들어지게 만들 수 있는 자랑스러운 시설부는 감염 차단을 위한 선봉자였고 카톡으로 의료정보를 공유하고 사전설명을 통해 공감하며, 보건복지부나 질병관리본부에서 내려오는 모든 지침을 공유한 의료진들의 참여는 전략적 전술을 펼치는 전사였다.

현장에서 일어나는 모든 상황을 점검하고 더 필요하거나 버려야 될 게 뭐가 있는지를 확인하여 실시간 결정을 하고 내과만의 문제가 아닌 전체 의료원의 문제라는 인식을 함께 함으로써 환자들을 다 함께 진료하는 시스템을 구축할 수 있었다.

이런 시스템은 특별한 치료약이나 예방백신이 아직 만들어지지 않은 상태에서 서로가 전문적인 진료에 대한 의견을 교환함으로써 혹시 잘못하고 있지는 않나 하는 불안감도 줄일 수 있었다. 매일 질병관리본부의 브리핑을 참고하면서 우리에게 필요한 그날의 중요한 이슈를 같이 함께 나누었다.

모두가 잠든 새벽 줄지어 선 31대의 앰블런스에서 들 것으로 환자를 내릴 때 그 모습이 얼마나 암담했는지 모른다. 의식마저도 혼미한 고령의 요양병원 환자들이 밀고 들어온 날 간호사의 눈에서 보인 참담함이 고스란히 느껴져 올 때 그 슬픔은 가슴을 헤집었다. 이게 공포의 섬뜩함이구나 하고 주저앉았던 기억이 난다.

두렵지 않은 사람이 어디 있으랴. 이런 상황에서도 숨죽이며 자신의 자리에서 해야 할 일을 묵묵히 해내던 의료진에게 영웅이라는 칭호를 붙여주는 것은 결코 과분하지가 않다.

400여 명의 직원 중 단 한 명의 감염자도 없었다는 것은 기적이었다. 집단 지성의 승리였다. 위기는 누구에게는 실패를 안겨주지만 준비된 사람에게는 새로운 기회를 만들어 준다는 것을 우리는 확실히 체험했다.

지난 시간 김천의료원이 공공의료원으로서 준비한 노력 중에 의료자원의 확보, 그 중에서도 의료 인력의 꾸준한 충원으로 40여 명의 의사를 모신 것과 간호 · 간병 통합서비스 확대운영은 비상사태에서 그 빛을 발했다. 간호등급 3등급 유지로 197명의 간호사를 확보하고 있었던 사실 역시 코로나19를 맞아 김천의료원이 대한민국을 지킬 수 있었던 원동력이 되었다고 생각한다.

단절되지 않는 의료서비스와 의료원 정상화를 위한 준비

그 동안의 경험을 통해 누구보다 신속하고 지혜롭게 극복할 수가 있었던 것은 서로에게 힘이 되어주고자 했던 따뜻한 동료 직원들이 있었기 때문이었다. 이처럼 서로의 격려와 배려가 힘이 되었다는 것에 감사함과 동시에 의료원장으로서 앞으로 닥쳐 올 냉혹한 현실이 기다리고 있음을 간과할 수 없었다.

바이러스로부터의 안전뿐만 아니라 지역민에게 단절되지 않는 의료서비스가 제공되어야 한다는 것과 우리 의료원 식구들을 책임져야 한다는 사명감은 멀지 않은 시간에 일어날 상황에 대한 대비가 필요하다는 것을 본능적으로 직감한 것이다.

의료원의 수입구조는 의료수익과 의료 외 수익으로 나눠진다. 정부 지자체 재정에서 분리돼 있는 공공의료원은 스스로 수익을 내야 하는 구조이기 때문에 분만 산부인과나 심뇌혈관 센터 같은 필수 의료를 유지하기 어렵다. 시설이나 인건비 등 모든 것을 의료원 자체로 해결해야 하기 때문이다.

공공병원 환자 1인 평균 진료비는 민간 병원의 80프로 이상으로 낮으니 의료수익으로는 적자를 면치 못하는 것은 당연하다 할 것이다. 김천의료원 역시도 의료수익은 적자를 면치 못했고 의료 외 수입인 건강검진이나 장례식장 등 부대사업으로 번 수익으로 적자에서 흑자로 돌아설 수 있었던 것이다.

그러니 김천과 같은 중소도시에서 의료원이 제공하는 필수 의료서비스의 단절은 곧 지역민에게 기본적인 의료제공을 제한한다는 것과 같다. 그래서 김천의료원은 코로나19로 인한 그 어려움에도 불구하고 응급실과 인공 신장실을 비롯한 외래진료 기능을 병행함으로써 지역 내 필수의료 및 의료체계 붕괴를 사전에 방지할 수 있었던 것이다. 이는 책임의료기관으로서의 역할을 다 한 것뿐만 아니라 400명 식구를 살리는 최선의 준비였다는 것이 나중에 증명되었다.

5월 6일 재오픈을 하기 전에 많은 생각을 했었다. 코로나 전담병원으로서 김천의료원이 70일 간 코로나 환자만 보았는데 시민들이 의료원을 이용하려 할 때 무엇을 가장 두려워 할 것인가를 생각 했었다. 아마도 코로나 환자들이 이용한 시설에 대한 찜찜함과 감염에 대한 두려움 같은 것이 있을 것이라고 여겨졌다.

코로나 발생 이전보다 더 깔끔하게 의료원을 새 단장을 해야겠다는 의지로 4월 30일부터 5월 5일까지 6일 동안 김천의료원 전 병동에 대한 멸균 소독을 위해 100년 만에 처음으로 의료원 문을 닫았다. 혹시라도 민원이 생기면 어쩌나 염려도 했었지만 시민들은 우리들이 소독할 동안 보채지도 않고 시간을 허락해 주었다.

5층에서 시작해 층층이 내려오며 제거되는 묵은 때와 공포의 바이러스는 1층 로비에 도착했을 때 비로소 실감할 수 있었다. 그토록 바꾸고 싶었던 낡고 해진 1층 바닥 곳곳이 그야말로 새 것으로 바뀌며 의료원은 새로운 진료환경으로 변신을 했다. 직원들의 근무 가운도, 색깔도 다 바꾸고 병실의 커텐도 새롭게 교체를 했다. 예전의 김천의료원이었다는 생각이 들지 않도록 바꿀 수 있는 것은 모두 바꾸었고 이를 위해 투자를 아끼지 않았다.

예상대로 시민들은 놀라움을 금치 못했고 달라진 의료원 환경에 코로나19로 인한 감염병 전담병원이었다는 사실조차 잊은 듯 환자들이 몰려왔다. 어려울수록 과감하게 시설 투자를 할 수 있었던 것은 코로나 정국 속에서도 외래를 계속 열면서 수입을 만들었기 때문이다. 직원들이 그 많은 어려움 속에서도 의료원의 미래를 걱정하면서 한마음으로 최선을 다해 노력한 결과였다.

코로나19는 여전히 진행 중이고 언제 또 다시 우리 앞에 어떤 모습으로 나타날지 어느 누구도 예측할 수 없다. 그래서 김천의료원에서는 감염병 재유행에 대비하여 일반환자도 입원을 하면서 코로나19 환자와 감염병환자도 동시에 입원을 할 수 있는 격리공조시설을 갖춘 음압격리병상을 만들어 줄 것을 보건복지부에 건의하였다.

긴급 건의였음에도 예산이 변경 확정되어 이미 5월 말에 진행을 하여 8월 초 완공을 앞두고 있다. 전용 엘리베이터가 설치되고 격리공조시설을 갖춘 음압격리병상이 3개 병상에서 20개 병상으로 늘어나게 되는데 이후 코로나19 환자가 추가로 발생하게 되더라도 긴급하게 병동을 운영할 수 있게 됨으로써 안전하고 신속한 대처가 가능할 수 있게 되었다.

6월에는 김천의료원이 보건복지부로부터 지역책임의료기관으로 선정되었다. 주어진 역할의 중요성만큼 의료원의 시설과 규모도 더 갖추고 키워야겠지만 무엇보다 지방의료원으로서의 지역사회의 끈끈한 연계를 구축하는 것이야말로 중요하지 않을 수 없다. 그런가 하면 이런 어려운 과정에서도 놀랄만한 낭보가 우리 의료원 직원들을 한껏 들뜨게 만들었다.

농림산림축산부에서 김천의료원이 농촌 발전에 기여한 공로로 대통령 기관표창이 결정되어 수상을 위해 서울의 더 플라자 호텔에 초대되었다는 사실이다. 지역의 의료 취약지를 누비던 행복버스의 활동이나 취약계층의 건강검진, 의료서비스를 확대했던 그 모든 노력의 결과를 상으로 보상 받았다. 알아주는 그 자체만으로 우리는 감사했다.

어떤 것도 쉬운 결정은 없었다. 길을 찾을 수 없을 때 길을 열어 준 우리들만의 그 집단지성으로 그동안 노력해온 지방의료원으로서의 역할과 중요성을, 또한 그 저력을 한껏 보여주었다. 사랑하는 의료원 식구들에게 무한 감사할 따름이다.

손편지를 한 박스씩 받아본 적이 있는가?

두 번째 임기를 시작했을 때다. 그저 아무 일 없다는 듯이 간단하게 짧은 취임인사로 직원들과 인사를 나누었다. 믿어줘서 고맙다고 했고, 다시 한 번 힘내서 공공의료의 발전과 김천의료원의 미래를 위해 최선을 다할 테니 믿고 함께 멋지게 해보자고 했다. 처음 인사하는 것도 아닌데 떨리는 듯 가슴이 쿵쾅 뛰었다.

노조위원장님께서 얼굴이 가릴 정도로 큰 꽃다발을 안겨주었다. 책상 위에 커다란 박스에 수많은 엽서가 한가득 담겨 있었다. 이 손편지는 직원들이 나에게 준 사랑의 메시지였다. 그토록 솔직한 편지를 받아 쥐니 그들의 꿈을 이룰 수 있게 만든 일은 오히려 나를 더 행복하게 했다.

우리는 서로가 필요한 시기에 딱 맞는 능력으로 만났다. 어디에서 이런 인연을 만날 수 있을까. 살아있는 싱싱한 일을 하고 싶었던 나에게 이런 기회가 왔다는 것은 너무나 감사한 일이다.

작은 카드 속에 깨알 같은 글씨로 적힌 내용은 단순한 축하인사말만이 아니었다. 이제부터 해야 할 일을 조목조목 적어둔 개별 바람(요구사항)같은 느낌을 지울 수가 없었다. '숙제를 많이 주네' 혼자말로 중얼거렸다. 책장 안쪽에 깊숙이 넣어 두었다.

조용히 사무실에서 책을 정리하다 박스 하나를 발견했다. 한참동안 잊고 있었던 박스 속에 얼굴을 드러내고 있는 손편지를 펼치는 순간 묻혀 있었던 사연들이 시간을 타고 과거로 달려갔다. 한 장씩 펼치는 순간 가슴이 먹먹해졌다. 내 마음보다도 더 간절히 기다려 준 직원들이 있었다는 것에 미안하기도 하고 감사하기도 했다.

이 모든 글은 이제 내가 해야 하는 일의 전부이며, 그들이 준 것에 대한 나의 약속임을 맹세하겠다고 혼자 새겼다. 가지런히 적은 손편지에서 나온 그들의 꿈을 꼭 이루어 주는 의료원장이 되겠다며 스스로 다짐을 했다.

그들의 믿음이 언제 시작되었는지는 모르지만 한 인간에 대한 믿음을 실망케 하는 일은 결코 해서는 안 된다는 게 최소한 그들에게 내가 해줄 수 있는 것이 아닌가 싶다. 이제는 그 대답을 해야 할 때가 되었다. 이 글을 다 읽고 나면 직원들의 글에서 그 답을 찾을 수 있으리라 믿는다.

Ⅳ.
손편지로 만든 모암동의 기적
— 50인의 손편지와 화답

원장님 께

연임을 진심으로 축하 드립니다.

항상 합리적인 리더쉽과 통솔력으로 직원들의 단합과

발전 방안을 마련해 주셔서 감사합니다.

개방과 협력의 테두리 안에서 변화와 혁신을 추구 하시는

모습에 의료원으로서 기본적인 자세를 항상 새기고 있습니다.

원장님의 연임으로 인해 더욱더 발전된 김천의료원의

모습을 기대하게 됩니다.

다시 한번 김천의료원에 남아 주셔서 감사 드리며

원장님 건강이 의료원의 건강이라 생각하시고

늘 건강에 유의 하십시오.

간호부

박○현 올림

박 ○ 현 간호사께

파란 볼펜으로 꾹꾹 눌러 선 글씨에서 단아함을 느낍니다. 깨알 같은 글 속에 아주 많은 내용을 담아 놓으셨네요. 저의 재임에 대한 감사의 글까지는 좋았는데 당부의 말씀 속에 제가 앞으로 이 글처럼 한다면 하루도 쉬는 날 없이 일만 해야 될 것 같습니다. 그리고 옵션을 걸어 놓으셨네요.

'기본과 원칙의 테두리 안에서 변화와 혁신을 추구하시는 모습에 의료인으로서 기본적인 자세를 항상 새기고 있습니다.' 라고 하시면서 제가 항상 그럴 수밖에 없도록 대못을 박아 놓으셨네요. 거기에다 항상 기대하시면서 지켜보시겠다고 하셨는데 어쩌죠? 어쩌겠습니까? 그렇게 해야겠지요. 앞쪽에서 칭찬까지 해놓으셨던데 그렇게라도 해두지 않으셨다면 제가 다시 고민했을 겁니다.

'항상 합리적인 리더십과 통솔력으로 직원들의 단합과 병원 발전을 이끌어 주셔서 감사합니다. 건강하세요'라고 하시면서... 여하튼 감사합니다.

참 잘 적은 연임 축하편지였습니다.

지금도 간직하면서 나약해질 때마다 꺼내보며 다짐을 합니다. 이토록 사랑받을 수 있다면 행운이 아닌가 하고요. 괜히 그래봤지만 그동안의 노력을 보지 못했다면 서운하게 생각했을지도 모릅니다. 누구라도 그렇게 생각할 수 있도록 김천의료원만을 생각하도록 하겠습니다.

원장님.

재임 진심으로 축하드립니다.

지난 3년동안 병원을 위해 애써시고

노력해 주셔서 감사합니다.

앞으로도 잘 부탁드립니다.

작은 힘이지만 병원을 위해 도움이 되는 일이라면

원장님을 도와 같이 열심히 노력하겠습니다.

항상 건강 잘 챙기시고, 행복하세요.

감사드립니다!!! 그리고. 축하드립니다.

4병동 신○순

41병동 수간호사 신ㅇ순

언제나 자신보다는 남을 배려하는 모습을 볼 때마다 수간호사로서 참 직원들에게 모범이 된다고 생각했지요. 지난 번 어렵고 힘든 일이 생겼을 때 어쩔 줄 몰라 하는 것을 보고 책임감이 강하시다 보니 자신의 일로 조금이라도 상사가 힘이 들어 보이면 불편해 하겠구나 생각이 듭니다.

무슨 일을 맡겨 놓아도 잘 처리하는 훌륭한 관리자가 되겠다는 생각에 그 병동은 걱정하지 않습니다. 같이 행복합시다. '3년 동안 병원을 위해 애쓰시고 노력해주셔서 감사하다'는 글 보내주셔서 감사합니다. '작은 힘이지만 병원을 위해 도움이 되는 일이라면 원장님을 도와 같이 열심히 노력하겠다'는 결심도 잊지 않겠습니다. 작은 힘이 아니라 아마도 저에게는 큰 힘이 되고 있습니다. 의료인에게는 가장 중요한 것이 정확과 성실입니다. 환자에게 챙겨줘야 할 기본을 못 챙기면서 친절하기만 한 것은 아무런 소용이 없다는 것을 아시지요.

환자들의 불평과 불만은 아프기 때문에 더 자세히 살펴서 마음까지 따뜻하게 살펴드려야 됩니다. 퇴원할 때가 되어서야 환자분들이 간호사에게 말도 걸고 농담도 하고 하지 아프면 짜증부터 내잖아요. 늘 품 넓게 받아 주시는 것 압니다. 앞으로도 쭉 그렇게 하시리라 생각해도 되겠지요?

To. 원장님~

안녕하십니까. 32병동 간호사

김○영 입니다!

재취임 진심으로 축하드립니다♡

늘 병원을 위해 힘써주셔서 감사

합니다. 앞으로도 병원을 잘부탁드립

니다! 저도 열심히 따르겠습니당.

새해복 많이 받으시고

언제나 행복 하세요

늘 감사 합니다♡

32병동 김ㅇ영 간호사

'앞으로 병원을 잘 부탁드린다'고 하셨는데 어쩌죠? 뭐가 바뀐 것 같아서요. 제가 그래야 되는 것 아닌가요? 서로 옥신각신 하지 말고 서로 잘 하면 되겠네요. 절충안이 마음에 듭니까?

의료원장은 언제나 눈이 밖으로 향해 있을 때가 많습니다. 전체를 생각하다보니 통으로 생각하는 습관이 있어 개별적인 생각보다는 전체의 모습, 전체의 문화를 더 보게 되니 작은 것을 놓칠 때가 많아요. 소소한 의료서비스는 병동에서 자체의 오랜 전통대로 잘 하면 됩니다. 집단이 만들어 놓은 문화로 나날이 더 나은 선택으로 가길 바라는 것이죠.

의료원은 다른 조직과 다르게 숭고한 생명을 다루는 직업을 가진 이들이 모인 곳이잖아요. 더 잘 아시겠지만 간호사 직업이 가지는 헌신, 이런 것을 아무 직업에서나 요구하는 것은 아니거든요. 내부의 작은 규칙들은 직원들끼리 자체적으로 정해서 만들어 가는 것도 좋아요. 특히 90년대 생 간호사들이 많아져서 그들 시각에 얼추 비슷하게는 되어야 이직을 덜 하죠. 그래서 젊은 간호사들에게 말씀 드리는 겁니다.

'저도 열심히 따르겠습니당'이라고 애교 섞은 문구가 아주 마음에 듭니다. 앞에서 끌고 뒤에서 밀고 한다면 못 갈 곳이 없다고 생각합니다. 환자를 본다는 것이 얼마나 복잡하고 난해한지 압니다. 여차해 잘못되면 사람의 목숨이 왔다 갔다 하니 조금의 여유도 없이 딱딱하고 냉랭하기는 해도 가슴 밑바닥에는 깊은 생각을 하고 있지요. 아마도 한 해를 보내고 연차가 올라가면 이런 모든 걸 알게 될 겁니다.

원장님. 2018년에도 원장님과
함께 할 수 있기를 기도 하였는데,
재임되심을 진심으로 축하드립니다.
소통을 통한 화합을 최우선 하시는
원장님께서 우리 의료원에 재임하여
주셔서 감사하고 참 기쁩니다.
원장님! 앞으로도 일하고 싶은 직장,
소통이 가능한 직장 부탁드립니다!
늘 감사드리고 원장님을 본받아 맡은
자리에서 최선을 다하도록 하겠습니다.
항상 건강하시고 행복한 일만 가득
하시길 바랍니다.

\- 이○희 올림 -

이ㅇ희 간호사

이렇게 예쁜 카드를 만들 수 있는 사람과 근무 할 수 있는 제가 더 행운입니다.

하나는 채워진 하트고 또 하나는 비워진 하트네요. 제가 앞으로 노력해서 가득 채워보도록 하겠습니다. 소통과 화합을 최우선으로 하는 것은 어떻게 아세요. 그동안 보였나요?

김천의료원이 아직 갈 길이 아득합니다. 환자분들이 많이 오신다고 해도 중소도시의 작은 지방의료원의 역할로는 미흡합니다. 아직도 미충족 의료서비스가 많고, 시민들의 기대에 맞추려면 더 노력을 해야 하는 부분들이 많이 남아 있습니다. 이 모든 부분을 가능하게 할 수 있는 그 밑바탕에는 직원들의 단합된 의지와 열정이 절대적으로 필요한 부분이지요. 그 열정과 의지가 활짝 펴지게 하려면 우선 서로를 알고 이해하고 해야 되는데 그게 소통과 화합이라고 말하면 이해가 되시겠지요. 모든 기관의 관리자가 하고 싶은 첫 번째가 그것이겠지요.

생일 파티를 열 때에도 기획부터 모든 직원이 참여해 청소하는 아주머니든 진료 보는 의사선생님이든 한자리에 모여 식사하면서 의료원을 위하는 마음으로, 화합하는 시간을 보내는 것을 하루도 잊은 적 없는 것 아시죠. 저에게는 놓칠 수 없는 가장 중요한 순간들입니다.

저의 재임이 기쁨을 줄 수 있어서 제가 더 좋습니다. 부탁하신 일하고 싶은 직장은 제가 혼자 만들 수 있는 것은 아닙니다. 우리가 같이 정성을 들여 만들고 가꾸어야 가능하고 소중하게 다루어야 지켜 낼 수 있는 것이지요. 지금도 너무 반듯하여 더 배울 것이 없는데도 배우려는 자세만은 좋습니다. 전 직원들이 맡은 자리에서 최선을 다한 다면 김천의료원은 메르스 감염으로 대한민국이 흔들려도 끄덕도 하지 않을 것입니다.

존경하는 원장님♥

재임을 진심으로 축하드립니다♥

늘 아낌없이 베풀어 주시는 원장님~♥

항상 저희만 생각해 주시는 원장님~♥

또 한번 의료원의 밝고 새로운 도약의 발판을
기꺼이 마련해 주실 원장님~♥ ~♥

고개숙여 감사드리고 ∞ 존경합니다 !!!

다시 한번 더 재임을 축하드립니다 ♥♥♥

- 5내과 간호사 이○영 올림 -

5내과 이ㅇ경 간호사

늘 아낌없이 주는 나무가 될 수 있을지 걱정이 앞서네요. 오려 붙인 나무가 눈에 익숙하네요. 나무 이름을 잘 몰라서 잣나무처럼 가지가 풍성하고 위풍당당한 것이 멋있는 나무임에는 틀림이 없네요. 부단히 노력하여 넓은 그늘을 마련하도록 하겠습니다. 바깥 세상에 눈보라가 치든 세찬 비가 내리든 잎이 풍성하여 나무 그늘에서는 쉴 수 있게 하겠습니다.

그동안 김천의료원에만 집중해도 일을 다 해결할 수 없을 만큼 수많은 일들에 주눅이 들었는데 이제 겨우 여유가 좀 생기네요. 공공의료원의 아름다운 미래를 생각하며 멋지게 열어보도록 하겠습니다.

우리 의료원이 밝은 것은 이 간호사가 밝고 긍정적이기 때문입니다. 뭐든 기다려주면서 의료원만 생각하는 멋진 직원임을 압니다. 누군가 의료원에 대해서 조금이라도 싫은 소리를 하면 당장이라도 고칠 마음의 준비가 되어있다는 것을 어느 날 보았지요. 열 일하는 직원임을 압니다. 함께 근무하는 게 제가 더 감사하다는 말을 드리고 싶습니다. 의료원의 새로운 역사를 함께 써 봅시다. 우리의 아이들이 자랑스럽게 생각할 수 있도록 그 누구도 따라 잡을 수 없도록 말입니다. 꽃길만 걸을 수 있게요.

원장님.

지나간 3년.
매 순간은 다르게 갔었지만
돌아보니 잔잔한 호수였습니다.

다가오는 3년
다시 함께 할 수 있어
감사하고 행복합니다.

이제 100년의 역사를 눈앞에 둔
가천의료원
그 세월의 영광까지.
그때까지 함께 가셨으면
좋겠습니다.
늘 건강하세요.
재임 축하드립니다.

이○숙 올림.

이ㅇ숙 수간호사님

'매 순간 파도 같았지만 돌아보니 잔잔한 호수였습니다.' 참 좋은 글입니다. 늘 밀려오는 파도처럼 수많은 난관으로 힘들었던 것도 사실입니다. 흔들리지 않고 피는 꽃은 없다지 않습니까?

천둥과 번개도 있어야 잘 익은 대추가 된다는데 400명의 직원들이 있는 김천의료원에 파도가 없는 날이 있다는 게 이상한 날이지요. 깨어있어서 온 힘으로 견뎌온 날들이 잔잔한 호수처럼 보였다면 제가 발을 부지런히 움직였나봅니다.

어느 직원보다도 제 입장을 잘 이해해주셔서 감사드립니다. 자신의 일에 충실한 것이 시간이 지날수록 의료원에 도움이 된다는 게 더 분명해지지요. 100년을 눈앞에 두고 재도약의 기회를 놓치고 싶지 않습니다.

공공의료에 대한 관심을 불러일으키기 위해 다양한 분야의 사람들에게 소통을 강화하고 지역사회연계라든지, 공공지원부의 사업도 예산이나 인력을 강화하고 지원을 아끼지 않고 있습니다.

요즘 건강 형평성에 대해 어느 때보다 관심이 높아져 가고 있습니다. 건강 격차가 지자체 간에도 벌어지는 현실에서 의료원 권역에서도 예외는 아니지요. 함께 지역책임의료기관으로 갈 수 있도록 힘을 모아봅시다.

원장님. 재임을 축하드립니다.

너무나 3년이 빨리 지나 갔지만 김천 의료원이
정말 내실 있는 병원이 되어있는 모습을 보니
오래 근무한 직원의 한 사람으로서 먹지 않고도
배가 다 부른것 같습니다.
그동안의 노고에 너무나 감사 드리고요.
앞으로도 오래도록 저희를 이끌어 주실 것을
간히 희망해 봅니다.

정작 축하 받아야 하는 것은
저희들 인것 같습니다. —

감사 합니다.

물리 치료실. 김○진.
올림.

물리치료실 김ㅇ진

먹지 않고 배부른 사람은 없는데 마음이 그 만큼 여유가 생겼다는 말씀을 듣고 보니 옛날이 생각납니다. 처음 저를 만났을 때 여리고 약해 보여서 잘할까 걱정도 되셨다는 것도 알고 처음 임기 동안에는 직원들과 저의 탐색전도 열심히 하셨다는 것도 압니다.

지나 보니 심지 굳고 꽉 차서 이제는 이끌어 달라고 하시니 3년이라는 짧지 않은 시간 동안을 지켜보며 믿음이 갔나 봅니다. 그래요, 이제는 서로 믿음을 가지고 의지하면서 내실 있게 탄탄한 의료원으로 성장해 봅시다.

정작 축하를 받아야 하는 것은 직원들이라고 하는 말이 너무 좋습니다. 서로가 축하가 되는 존재로 남고 싶습니다. 서로 입장을 이해하고 존중한다면 노사의 어떤 문제든 해결되지 않는 일은 없을 것입니다. 말로만 하는 협의가 아닌 행동이 따르는 협의를 하겠습니다.

원장님 재임을 진심으로 축하드립니다.
불철주야 저희를 위해 애써 주심에
감사드리고 또 감사드립니다.
3년전 여자 원장님이 오신다는 얘기에
기대반 두려움 반 처음으로 원장님을
뵈었습니다.
직원들 생일 일일이 챙기시며 주신 손편지.
영화 관람 등 각종 병원 행사에서 원장님의
섬세함과 여성스러움을 느꼈고 대외적인 업무에
있어서는 다른 남자 원장님 못지 않은 대범함과
일처리 능력을 보였습니다.
이런 원장님과 앞으로도 함께 할 수 있어
영광으로 생각합니다.
앞으로 함께 할 시간도 잘 부탁드리며
항상 건강하고 행복하십시요. -42병동 이○주-

42병동 이ㅇ주 간호사

의료원장 이름 앞에 '여자'가 붙은 사람은 김천의료원장 뿐입니다. 기대 반은 이해가 가지만 두려움 반은 한참동안 이해가 되지 않았습니다. 의료원은 80%이상이 간호사가 근무하는 곳이라 대다수가 여성인데 오히려 군기가 세다는 게 사실인가 하고 잠깐 숨을 고르는 중이였지요.

저는 절대로 무서운 사람이 아닙니다. 3년이라는 시간 동안 저에 대해서 많은 것을 조사하신 것 같네요. 반은 맞고 반은 틀렸습니다. 손편지 쓰는 것은 좋아합니다. 섬세한 것도 맞습니다. 여성스럽지는 않지만 남자원장님 보다도 더 대범하게 일처리는 잘합니다.

병원 일은 생각보다 섬세하지 않으면 많은 일을 놓치는 경우가 많고, 일의 특성상 조금만 어긋나도 생과 사를 나누는 일이기 때문에 대충은 통하지 않으니 치밀해야 되는 경우가 많습니다. 좋아하는 사람하고만 일하는 조직은 한 번도 만나본 적이 없습니다. 조화롭게 배려하면서 노력하는 사람을 선호합니다. 우리 의료원 직원들은 모두 그렇게 하고 있는 것 같았습니다. 함께 일하게 되어서 감사합니다.

앞으로 2년도 원장님께서 지켜주시고
이끌어주시니 저희는 고맙습니다.
어수선한 분위기를 안정되게 하시고
크고 작은 일들을 해결해 주시고
임금인상을 해 주시고
감액금을 해결해 주시고
직원들을 웃을수 있게 해 주시니
저희는 너무나 감사합니다.

앞으로도 잘 이끌어주시리라
기대가 됩니다.
열심히 잘 하여 어느 자리에서도
꼭 필요한 사람이 되도록 노력하겠
습니다.
김천의료원 직원이 축복 받은거지요.

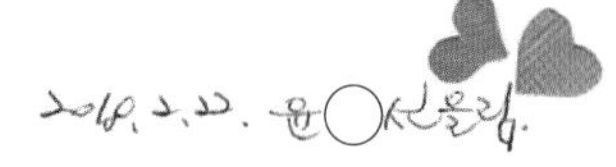

2016. 2. 22. 윤○선 올림.

윤ㅇ선 간호사

어느 자리에서도 꼭 필요한 사람이 되도록 노력하겠다는 말씀을 적으셨는데 직원들이 축복을 받은 것이 아니라 제가 이곳에서 다시 의료원장으로서 소임을 맡게 된 것이 축복이네요. 서로에게 없어서는 안 되는 존재가 된다는 의미는 그만큼 의지하고 신뢰하고 있다는 증거이겠지요.

3년 동안의 결코 짧지 않은 시간에 보여주었던 믿음은 의료원이라는 직장을 한 단계 끌어 올려놓은 결과로 서로에게 선물임이 분명하네요. 불신을 털어내고 불안을 걷어내고 새로운 출발을 하면서 기대라는 것을 해보던 시간이 주마등처럼 지나갑니다.

경영악화로 직원들에게만 부담을 지웠던 과거였다면 다소 복지를 챙길 수 있을 정도로 환자들이 우리를 찾아주었고, 찾아온 환자분들을 알뜰살뜰 보살펴 드린 덕에 우리가 가고자 하는 목적지로 무사히 순항을 할 수 있었지요. 임금 인상도, 감액금 삭제도 직원들이 한마음이 되지 않고서는 불가능한 일들이지요. 직원들만 웃고 있는 것은 아닙니다. 저도 함께 크게 웃을 수 있도록 해주셔서 감사합니다.

To. 원장님♥.♥

안녕하십니까. 원장님!!!
저는 42W 내과에서 현재 OT를 받고있는 '신입 햇병아리'
( ) 한○희 라고 합니다.
처음을 얼굴을 뵙고 인사드리는것이 아니라 편지로 전하게 되어
죄송한 마음이 너무 큽니다
하지만 더 열심히 교육받고 성장하여 숙련된 간호사가 되어
인사드리도록 하겠습니다.
저희를 여기있게 해주시고 늘 버팀목이 되어주셔서 감사하고
3년 재임을 진심으로 축하드립니다. !!
뒤늦게나마 이야기를 들었지만 원장님의 영예와 명성은
익히들어 잘알고있습니다.
원장님. 정말 기쁜마음으로 축하드리고 ♥ 합니다!

햇병아리 한ㅇ희 간호사

I Love You Forever 2

2가 의미하는 것이 나의 재임을 말하는 것이지요? 감사합니다. 햇병아리를 귀엽게 그린 것 만보아도 우리의료원의 신입직원임을 단박에 알 것 같습니다. 저의 실물은 본 적은 없어도 명성은 익히 알고 계시다니 정보력 하나는 알아주어야겠네요.

좋은 직장이라 생각해 취직을 하셨겠지요? 김천의료원은 간호사 일자리가 어느 곳보다도 많습니다. 지방의료원에서 간호등급을 3등급을 유지하고 있는 병원은 드물지요. 거기에다 간호간병통합서비스병동을 101병상을 운영하는 의료원도 드물어요. 그만큼 간호사의 일자리는 많다는 의미인데 신규간호사를 찾아서 다녀야 할 정도로 어렵습니다. 친구들 많이 데리고 와서 일해 주세요.

특별 상여금도 드릴 수 있도록 노력해 보겠습니다. 100일 잔치도 해드리고 직무연수 기회도 드리고 할 테니 생각해 보세요. 젊은 간호사들이 선호하는 멋진 병원이 되어야 의료원의 미래가 있다고 생각하니 같이 분발해서 찾아봅시다.

Dear 원장님께 ~♡

좋은 소식으로 또 편지
드리게 되어 너무 기쁘네요 원장님
전○숙 간호사 입니다.
연임 진심으로 축하드립니다.
원장님이 부임하신후로
병원이 날로 발전하고 있네요.
앞으로 병원위해 늘 최선을
다하시는 원장님을 항상 응원
하겠습니다. 항상 건강하세요.

○숙 드림 ~♡

응급실 전ㅇ숙 간호사

10년 차 간호사의 눈에도 의료원이 날로 발전하는 것이 보인다면 제가 열심히 했었다는 것에 자부심을 가져도 될 것 같다는 생각이 살짝 듭니다. 자주 가는 곳이 응급실이라서 아마도 누구보다도 많이 본 직원이 아닌가라고 생각하는데 그렇죠?

응급실은 제가 의료원에 오면서 가장 신경을 많이 쓴 곳 중에 한 곳입니다. 이현희 과장님만 계시고 다른 과장님들께서는 공중보건의로 채워져 있어서 잦은 민원에다 의료원의 진료수준을 보장하기 어려웠죠.

한 해에 한 명씩 보강을 하여 지금은 다섯 분의 전문의가 근무하는 지방의료원은 거의 없습니다. 김천시민들이 얼마나 의료혜택을 보고 계신지 짐작이나 하실지 모르겠어요. 응급실에 근무하시는 간호사분 정도는 되어야 공공의료의 필요성에서 응급체계의 문제점이 어디에 있는지를 디테일하게 알 수 있겠지요. 좋은 직장도 만들고 공공의료 발전에 기여도 하면서 늘 최선을 다해 김천의료원의 위상을 자리매김하는 멋진 의료인이 됩시다.

안녕하십니까 원장님.

3층신관 간호사 김○실 입니다.

이번 재임 진심으로 축하드립니다.

앞으로도 하시는 일 계속 승승장구하셔서

큰 발전 하시길 진심으로 기원하며

재임 정말 축하드립니다.

그간 원장님의 부단한 노력과 탁월한 식견에

따른 결과라고 생각하오며 앞으로도

더욱더 많이 활약하실것을 기대해 마지 않습니다.

우선 미약하나마 서면으로 인사드립니다.

축하드립니다. 원장님 ~.

31병동 김ㅇ실 간호사

부단한 노력과 탁월한 식견으로 좋은 결과를 가져왔다며 계속 말처럼 뛰라시는 주문을 받습니다. 기대만 하고 계시겠다는 말은 아니겠지요. 승승장구하려면 함께 하지 않으면 안 될 것 같습니다.

지나가다 보면 늘 조용하게 환자분들 말씀에 귀 기울이고 경청하는 것을 여러 번 보았습니다. 신규 간호사도 아니고 그리고 선임자 간호사도 아니고 해서 언제나 중간에 끼여 일도 많아서 힘든 것 압니다. 후배님들 잘 가르쳐서 눈치껏 할 수 있도록 지도 잘 부탁드립니다.

전문 간호사가 되기 위해서도 새롭게 배워야하는 것도 게을리 하면 안 됩니다. 워낙 세상이 LTE급으로 바뀌다보니 어느새 구식이 되어버려 후배들에게 배워야 하는 입장이 되고 보면 직무 만족도가 많이 떨어집니다. 젊을 때는 다양한 업무를 경험해보는 도전도 나쁘지 않으니 새로운 기회를 많이 가져보는 것도 좋은 것 같습니다. 건승을 기원합니다.

Dear. 원장님께~

원장님 재임을 진심으로 축하드리며
더 큰 영광이 있기를 기원드립니다.
앞으로도 모든 일이 뜻대로 되기를 바라며
무궁한 발전을 기원합니다.
뛰어난 추진력과 창의력을 바탕으로
지난 3년간 우리를 이끌어주신 원장님,
재임후에도 잘 부탁드리겠습니다.
다시한번 진심으로 축하드립니다.

○하울링.

김○하 간호사

저에게 더 큰 영광은 김천의료원에서 여러분들을 만난 것입니다. 미래를 생각하는 사람은 언제나 오늘은 무엇을 준비할까 생각을 많이 하죠. 농번기에 환자분들이 집으로 퇴원을 하는 이유도 농사철을 놓치면 가을에 수확할 농작물이 없듯이 우리에게도 미리 준비하지 않으면 바닥 타일 한 장 살 돈이 없답니다. 무서운 추진력으로 돌진해야 400명이 가져갈 몫을 준비할 수 있지요.

다른 사람과 똑같이 한다면 기회는 적어지겠지요. 창의적으로 조금이라도 더 낫게 하지 않는다면 기회는 절반으로 뚝 떨어지는 상황에 맞닥뜨리게 되니 안 되지요.

위기가 닥치면 더 강해집니다. 의료원장이 되면 지켜야 할 직원이 많아져 더 분발하게 됩니다. 더 많은 영광을 기대한다면 가만히 있을 수가 없지요.

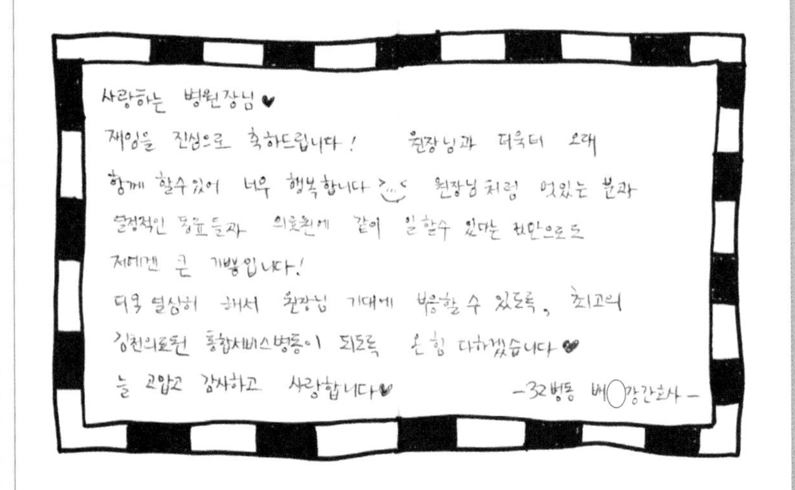

사랑하는 병원장님♥

재임을 진심으로 축하드립니다! 원장님과 더욱더 오래

함께 할수있어 너무 행복합니다 >◡< 원장님처럼 멋있는 분과

열정적인 동료들과 의료원에 같이 일할수 있다는 사실만으로도

저에겐 큰 기쁨입니다!

더욱 열심히 해서 원장님 기대에 부응할 수 있도록, 최고의

김천의료원 통합서비스병동이 되도록 온 힘 다하겠습니다♥

늘 고맙고 감사하고 사랑합니다♥

-32병동 배○강 간호사-

32병동 배ㅇ강 간호사

색다른 카드를 만드셨네요. 눈에 확 들어옵니다. 저도 함께 행복을 누려봅니다.

간호간병통합병동을 처음 개설했을 때 환자분들이 간호사에게 요구하는 것들이 너무 많아 힘들어 하는 모습을 보며 그만 두어야 하나 걱정도 하였습니다. 슬기롭게 잘 견뎌주셔서 너무 감사하게 생각합니다.

농촌의 현실은 간병해줄 가족 분들이 없는 독거노인, 고령 노인 부부세대가 많은 것이 거의 다입니다. 아파도 자식들이 와서 간병할 수도 없고 전문 간병인을 쓰기에도 간병비 부담이 너무 많아서 자식들 부담이 될까봐 전전긍긍하시는 모습을 뵐 때마다 더 확대해야 하냐고 스스로에게 반문을 해보기도 합니다.

농촌의 현실을 외면할 수 없겠죠. 우리 같이 열심히 해서 환자분들에게 좋은 의료원 만들어 봅시다. 어디선가 근무해야 한다면 기왕이면 고향에서 부모님 곁에서 고향을 지키면서 우리 함께 일류 의료원을 만들어 봅시다. 가능할 것 같아요.

존경하는 원장님께

안녕하십니까 원장님. 42병동 차○지 간호사 입니다.
2017년에도 저희 김천의료원과 직원을 위해 수고해주시고
올해 2018년 에도 같이 함께 하게 되어 정말 진심으로
기쁩니다. 앞으로도 계속 함께 해요~~
김천의료원을 위해 열심히 더 노력하고 안보이는 곳에서도
성실하게 일하는 직원이 되겠습니다.
김천의료원의 직원이라는것이 너무 자랑스럽습니다.
또한 저희 직원을 생각해주는 따뜻한 마음을 너무나도
잘알고 느끼며, 원장님! 사랑합니다!
앞으로도 몸건강히 저희다 함께 해주세요!

— 42병동 간호사 차○지 드림 —

42병동 차ㅇ지 간호사

2018년도부터 쭉 함께 근무하게 되어 저도 기쁩니다.

보이지 않는 곳에서도 최선을 다해 노력하겠다는 말씀을 듣고 보니 제법 연차가 올라간 선임 간호사 같은 느낌이 듭니다. 성숙한 사람은 누가 하라고 해서 하고 하지 말라고 해서 안하는 사람이 아닙니다. 좋은 동료가 되는 가장 빠른 길은 잘 배려해 주는 사람이고, 그것이 성숙한 사람입니다. 생색내지 말고, 티 나게 도와주지도 말고, 은근 슬쩍 도와주면 동료들이 많이 좋아하겠죠. 너무 마음에 드는 문구라서 한 글 적어보았습니다.

직원 모두가 그렇게만 해준다면 아마도 병원은 너무도 잘 돌아가지 싶습니다. 직원을 생각하지 않고 제가 누구를 생각하겠습니까? 모두가 좀 더 나은 기회를 가지고 더 좋은 기회에서 각자의 행복을 찾아 갈 수 있도록 지원해주는 것 아닐까요? 월급을 정해진 날짜에 잘 맞춰 주어야 계획성 있게 미래를 설계하겠죠?

열심히 노력하겠습니다. 이 편지를 다 쓸 때 쯤 아마도 열심히 하겠다는 약속을 수도 없이 적을 것 같습니다. 손에 박히면서 가슴에 새겨지겠지요.

72병동 김○란 간호사.

반짝 반짝 빛나는 원장님 ~♥

원장님의 재취임을 격렬히 축하드리며 또한 감사드립니다.

하늘도 축하하듯 소복소복 예쁜 눈을 내려주는 날 취임을 축하드리게 되어 더욱더 기쁩니다.
우리병원을 위해 저희를 위해 기념이 될 시간을 허락해주신 원장님. 덕분에 기쁘고 감사하고 또한 앞으로의 원장님과의 시간이 설레어 옵니다.
아침마다 저희를 향해 "엄지 척"을 보여주시는데 그런 하루는 정말 그 기쁨을 받아 행복한 하루가 됩니다. 원장님도 항상 엄지 척이십니다.
감사하신 늘 감사한 원장님. 감사합니다.

32병동 김ㅇ란 간호사

제 트레이드마크가 이제 엄지 척이 되었네요. 병동을 라운딩 할 때마다 바쁘게 뛰어 다니는 직원들을 불러 세울 수 없으니 멀리서나마 엄지 척이라도 보내줘야겠다는 것이 그만 트레이드마크가 돼버렸네요. 좋습니다. 격렬히 축하해 주셔서 고맙습니다.

아마도 32병동은 제 방과도 가장 가까이 있다 보니 간호사분들이 일하는 모습을 가장 가까이서 볼 수 있어 사정을 너무 잘 알게 되어 얼마나 고충이 많은지를 알죠. 눈물을 애써 삼키는 것을 보면 가슴이 저려 와서 힘들어요. 안타까운 사연들이 많은 날은 저를 콜 해주세요. 가서 해결사라도 해야겠지요.

3년전 저희는 불안했었고 3년간 저희는 완성을
경험하고 있습니다.
3년후 미래가 설레입니다.
앞으로 내딛는 한걸음, 한걸음이
자긍심과 자부심이 꿈을 믿어 의심치 않습니다.
함께 해주셔서 너무나 감사합니다.
개원을 축하드리며 사랑합니다. 원장님

물리치료실 - 정○조 -

물리치료실 정○조

날카로운 눈빛으로 훅 들어오던 첫 날만큼이나 여전히 글에서 그 느낌이 배어 있습니다. 불안을 안정으로, 불신을 신뢰로, 미움을 사랑으로 적어 주신 글을 아직도 가슴에 새기고 다닙니다. 아마도 세월이 많이 지난다 해도 잊을 수는 없을 것 같습니다. 그 날의 그 불안을 걷어내고 조금씩 완성으로 걸어가고 있다지만 경험으로 나누기에는 아직도 미흡한 수준입니다.

3년이라는 시간은 기초를 다지기에도 조급한 시간이며, 밑그림을 완성하기에도 역부족입니다. 이제 겨우 안개를 걷어내듯 갈등을 벗어내고 있습니다. 한정된 주어진 시간을 살아가는 저는 한 시간이 얼마나 귀하고 중요한지 모릅니다. 아끼고 소중하게 쓰고 멋지고 완성하여 그 두 손에 가득 담아드리겠습니다.

김천의료원이 가지는 우수한 모든 것을 쓸어 모아 대한민국을 대표하는 지방의료원으로서 자긍심과 자부심을 가질 수 있도록 최선의 노력을 하겠습니다.

멋진 직원을 만나 행복합니다. 제가 무엇을 하는지 알 길이 없었는데 안개 속 같은 마음까지도 감지하는 꿰뚫는 혜안을 가진 직원을 만나는 것도 저에게는 행운입니다.

원장님의 재임을 축하드립니다.

원장님의 큰 은혜와 사랑으로

직원들의 웃음이 끊이질 않습니다.

항상 감사드리고 의료원에 한줄기의

빛줄기가 내리게 해주셔서 감사드리며

다시한번 축하 드립니다.

진단검사의학과 최○혜

진단검사의학과 최ㅇ혜

웃음이 끊이질 않는 검사실이 된 것만으로 감사합니다. 달라진 것이라고는 아무것도 없는데 아마도 직원들의 마음이 더 따뜻해진 것이거나 여유가 생긴 것이겠지요.

사무실 분위기라는 것도 알고 보면 참 중요해요. 집에서 지내는 시간보다 어쩌면 사무실에서 보내는 시간들이 더 많기 때문에 서로 이해하고 보듬어 주고 한다면 삶의 질이 상당히 좋은 방향으로 영향을 미칠 겁니다. 그러나 마음이 맞지 않는 사람이라도 끼여 있을 때는 지옥이나 마찬가지지요. 그래도 먼저 온 사람이 더 배려해야 된다는 것은 알겠지요.

누구나 멈춰 있는 것이 아니라 시간이 지나면 선임이 되고 또 후배가 들어오고 해서 입장이 바뀌게 되니 직장의 배려하는 좋은 문화를 심어놓는 것도 열심히 일하는 것 못지않게 신경 쓰면 좋겠지요.

건강한 직장생활에서 최고는 마음 맞는 동료를 만나 서로 선한 경쟁을 통해 동반성장할 수 있다면 그 이상 좋은 것이 없을 겁니다. 승진이라는 관문에서 가지 말아야 할 길로 들어서지만 않는다면 다행이죠. 지나친 욕심이 하루아침에 쌓은 우정을 무너뜨리는 것을 보았을 때 인간에 대한 깊은 회의가 듭니다. 참고하신다면 좋겠네요.

안녕하십니까, 원장님 :)

연임을 축하드립니다!!

원장님 덕분에 문화생활도 자주 하고,

못봤던 영화도 보고, 직원들을 생각해주시고,

늘 챙겨주셔서 감사합니다

늦었지만 새해 복 많이 받으세요.

올해도 좋은 일만 있으시길 바라고, 앞으로도 우리

김천의료원 전국 1등병원이 되도록 다같이 함께

힘내고 노력하겠습니다!

- 31병동 고○경 간호사 올림 -

31병동 조ㅇ경 간호사

의료원장이 바꿀 수 있는 것이 얼마나 될까요? 근무하는 환경을 좀 바꿀 수 있을까요? 근무하는 시설이나 여건 등 물리적인 환경 외에 더 보탠다면, 어쩌면 조직의 문화를 바꿔 볼 수 있지 않을까요? 함께 영화도 보고, 생일 파티도 열고, 단체로 연수회도 가고, 이 모든 활동은 결국 직원들이 업무 중심에서 벗어나 새로운 환경으로 전환하여 스트레스나 직원들과의 교류 기회를 높여서 소통을 원활하게 하는 계기가 되죠.

서로가 알아야 이해를 하고, 이해를 해야 협조가 되고, 협조가 되어야 공동의 미션이 있을 때 각자의 역할 분담을 할 수 있을 거예요. 주어진 시간에 한 방향으로 진행하는 업무는 전체의 이익을 위해 움직이게 되는 것이지요. 꼭 그것만 있는 것은 아니죠. 글이 너무 길어지겠네요. 별도의 시간을 내어서 토론을 해야겠습니다.

함께 좋은 일 많이 만들어서 공동의 목표인 전국 1등 의료원이 되도록 힘냅시다.

원장님의 재임을 진심으로 축하드립니다.
첫 부임 이래 원장님의 건실한 경영으로
김천의료원이 새로이 자리매김하였고 저희
직원들에 대한 관심과 사랑은 김천의료원이
한걸음 한걸음 더 나아갈수 있는 힘이
되었습니다.
앞으로도 이제까지같이 약진을 거듭하시길
기원하며 올 한해 염원한 모든 일들을
이루어 가시길 빌겠습니다.
— 보험심사실 천○미 올림

보험심사실 권ㅇ민

심사가 전문이니 평가에 익숙하셔서 건실하게 운영되는지를 단박에 아시는 것 같아서 한자 적어봅니다. 의료원 경영은 참으로 난해하다고 해야 맞을 것 같습니다. 병상 가동률이 95%를 넘기는 의료원이 몇 개나 될까요. 의료수익 구조만으로는 적자를 면치 못함을 아시겠지만 그나마 부대사업으로 근근이 흑자를 내고 있지요. 무슨 일이 벌어질지 모르는 상황에서 의료사고라도 생기면 언제나 힘든 상황에 놓인다는 것을 아실 겁니다. 다행스러운 것은 여태까지 아무 일 없이 의료진이 묵묵히 일 해줘서 운이 좋아 여기까지 온 것 같네요.

관심과 사랑은 건전하게 의료원이 발전하는 데 밑거름이 되는 것만은 사실입니다. 한 걸음 한 걸음 더 나갈 수 있는 힘은 서로에게 많은 힘이 된 것도 숨길 수 없는 사실이죠. 난관이 없었던 때가 있었나요? 용기 내어 찬바람 불어도 웅크리지 말고 함께 갑시다.

(16) 좋은 상사는 최고의 선물이며 괜찮은 상사와의 좋은 관계는 축복이다.

(236) 쓰레기 상사가 기업에 치명적인 악영향을 끼치는 것을 모두 알고 있는데도 그들이 여전히 존재하는 이유는 무엇일까? 이유는 두 가지다. 하나는 경영자의 의도적 배치고 다른 하나는 무책임한 방기다.

(239) 회사가 쓰레기 상사 문제를 처리하지 못하는 동안 이들에게서 입는 피해는 고스란히 개인 직원이 입게 된다. 이때 개인이 선택할 수 있는 방법은 크게 세 가지다.

회사를 떠난다. 지옥이라도 참고 견딘다. 쓰레기 상사에 대항하여 나를 지킨다.

- 구본형의 THE BOSS 중에서-

이름 없는 손편지 '좋은 글에서 발췌한 글'

'좋은 상사는 최고의 선물이며 괜찮은 상사와의 좋은 관계는 축복이다.'

재임에 대한 축하의 글이 없는 것을 보니 좋은 글 뒤에 적혀있는 나쁜 상사가 개인에게 미치는 영향을 적어 둔 글이다. 어떻게 좋은 글들만 있을 수가 있을까?

구본형의 THE BOSS를 사봐야겠다.

민주주의의 표본이 선거라고 한다. 아무리 국민적 신임을 받고 있더라도 절대적인 지지를 받을 수는 없다. 언제나 견제가 가능한 정도의 표로 냉엄한 선택을 받을 때가 많다. 무거운 책임감이 요구되는 공공지방의료원은 시민들의 의료에 대한 겸허한 자세를 유지하여야 한다.

서비스를 받는 분들이 서비스 제공자의 서비스 내용을 잘 모를 때 많은 오해의 소지가 생길 수 있다. 언제나 기준점이 되어 주어야 한다는 마음은 변하지 않았다.

안녕하십니까? 원장님~. 물리치료실에서
근무하는 김○국 입니다.

올해 겨울은 유난히 추운듯 하였으나
어느새 따뜻한 봄이 성큼 다가왔습니다.
따뜻한 봄 소식 처럼 저희 병원에도 좋은
소식이 생겼음에 더 없이 기쁩니다.

원장님의 그간의 노고 덕분에 병원은
점차 발전해 나가고 있음을 김천의료원
의 일원으로써 몸소 느끼며, 열심히
근무하고 있습니다.

다시한번 원장님의 재취임을 축하드리며,
앞으로의 날이 더욱 기대되는 김천의료원이
되길 기원 합니다.
무술년 새해에도 행복과 평안이
가득 하시길 바랍니다.
감사합니다.

-물리치료실 김○국-

물리치료실 김○국

아무리 추워도 겨울은 봄을 이기지 못하고 지나갑니다. 시간은 지체없이 똑같은 방향으로 가지요. 나이가 든다는 의미입니다. 의료원에 근무하면서 발전의 원동력이 되어 주는 곳이 재활치료센터지요. 서로 머리를 맞대고 의견, 지식을 공유하면서 실장님을 중심으로 더 발전하리라 생각합니다.

필요한 게 있다면 지원해줘야 하는 게 저의 책무임을 느낍니다. 경상북도 서북부 일대에 재활을 담당하는 시설이 잘 마련된 의료기관이 없다는 것 때문에 많은 국비를 받아 우리의료원에서 준비를 하였습니다. 더 친절하고 오시는 분들이 물리치료사의 손길에 따라 삶의 질이 달라 질 수 있다고 생각합니다. 늘 준비하는 모습으로 하시면 의료원이 많이 발전할 것입니다.

<진심으로 축하드립니다>

지나간 3년 동안은

수고 많으셨습니다.

김천의료원을 이끌어 가시는 길이

순탄치만은 않았지만,

운영이 잘 되고 의료원 중에서도

모범이 되는 모든 것이

원장님의 "공"입니다.

앞으로 3년은 ...

새로웠으면 좋겠습니다.

직원들의 무지함을 가엽게 보시고

질책하기 보다는 어머니와 같은

자비로움을 베풀어 주시길 원합니다.

(원장님의 비난은 마음의 큰 상처가

되니까요...ㅠ.ㅠ)

100년의 역사를 가지고 있는

김천의료원의 자랑스러운

김미경 원장님이 되어주시길 간절히

소망합니다.

이름 없는 천사가 쓴 글

순탄치만은 않았지만 그래도 의료원 중에서 모범이 된 것이 의료원장의 '공'이다, 라고 쓰셨네요. 나에 대한 비난으로 가슴에 큰 상처가 될 수가 있으나 직원들의 무지함을 가엽게 보시고 질책보다는 자비를 베풀어 새롭게 김천의료원이 나아갔으면 좋겠다는 간절히 바라는 마음을 글로 적어 주셨네요.

그렇게 하겠습니다. 쉽게 잊혀질 문장은 아니네요. 자랑스러운 의료원장이 되길 바라는 마음 깊이 간직해서 자신과의 싸움에서도 지지 않는 멋진 사람이 되도록 노력하겠습니다.

논쟁을 좋아하지는 않지만 필요하다면 언제나 자기주장을 논리적으로 펼쳐야 한다고 생각해요. 받아들여지지 않는다고 포기한다면 전문가가 아니라고 여겨집니다. 선뜻 들어주지 못하는 것은 여건이 그만큼 성숙되지 못하기 때문일 때가 많아요. 김천의료원을 위하는 것이라면 그것이 무엇이 되었든 듣기 위한 노력을 하지 않는다면 난 이곳에 있을 이유가 없을 것입니다. 발전할 여지가 충분함에도 잘 되지 않는다면 바로 이곳이 시작점이라 생각합니다. 하지만 논쟁이 소모적인 감정소비로 흐르는 건 금물입니다.

I wish you every happiness in your life.

2월은 힘든 겨울을 마무리 하고, 희망을
향해 성큼성큼 거침 없이 달려가며
봄을 준비하는 시기입니다.
저희에게도 봄과 같은 따뜻한 소식이
전해집니다.
원장님 8 재임 축하드립니다.
저희랑 같이 김천의료원을 지켜주십시오.
핸들을 잡으시고 힘차게 페달을 밟으십시오.
2018년의 힘찬 출발을
원장님과 함께여서 김천의료원이 든든합니다.
사랑합니다.

42병동 강○희.

42병동 강ㅇ희 수간호사

달리는 것을 유독 좋아하시는 수간호사님이시네요. 400명을 태운 버스 핸들을 꽉 잡고 페달을 밟으면 되겠습니까? 잘못 핸들을 돌린다면 큰 일이 날 수도 있으니 뒤를 잘 봐주세요. 중간 간부의 역할이 정말 중요합니다. 197명이나 되는 간호사들의 수준을 유지하고 더 전문화가 되도록 교육을 하며 수준 높은 품격을 가진 의료인으로 길러내는 것도 우리들의 몫입니다.

공공의료에서 진료현장에서도 절대적으로 필요한 전문 인력은 간호사입니다. 감염병 발생 시에도 병동을 모두 커버하는 분들이 다름 아닌 간호사들입니다. 나이팅게일 정신을 이어 받아서 과학적이고 헌신적인 김천의료원의 일꾼이 되어 주세요.

♡ 사랑하는 원장님 께 ♡

추위가 한풀 물러가고 움츠렸던
어깨가 펴지는 요즘 의료원에도
봄을 가져다 줄 소식이 들려옵니다
의료원의 소통과 미래를 밝혀
주신 원장님의 처음을 축하
드립니다. 새해에는 복 많이
받으시고 하시는 일이 술술 풀리길
기원 합니다.

이◯열 올림.

중앙공급실 이○열

가장 긴 시간동안 의료원을 지켜오셨다고 들었습니다. 수많은 의료원장들이 이 자리를 거쳐 가면서 많은 공약도 하였겠지요. 직원과의 약속만은 꼭 지켜야 한다고 생각합니다. 지근거리에서 근무하시는 모습을 보았지요. 의료원에 대한 사랑이 얼마나 지극하시던지요. 직장을 이토록 사랑하는 사람은 참 드물다고 생각했어요.

잘 안하고 싶은 관리자가 있겠어요? 다 잘 하고 싶지만 잘못된 선택을 하는 경우가 있어서 만회할 기회를 얻지 못하면 어쩔 수 없이 집으로 가야하는 경우가 더 많겠지요.

우리는 한정된 시간을 사는 사람입니다. 임기가 있어서 더 하고 싶어도 할 수가 없지요. 그래서 주어진 시간을 허투루 쓸 수 없는 사람들입니다. 많이 도와주셔서 그나마 주어진 시간을 아껴 쓴 덕택에 이 정도라도 직원들에게 해 줄 수 있어 행복한 시간이 되었지요.

재임을 한다는 것은 제가 벗어도 되는 짐을 다시 지는 힘겨운 시간이 된다는 것도 아실 겁니다. 함께 해주시면 가벼워질 것입니다.

원장님 안녕하십니까 ~

42병동 간호사 박○진 이라고 합니다.

올 초부터 반가운 소식을 듣게 되었습니다.

원장님의 재임을 진심으로 축하드립니다 ~~~

그 동안 원장님께서 김천의료원의 발전을 위해

항상 애써주시어, 그 결과 감사하고 고마운 일들이

많았는데, 재임을 하게 되어 너무나 영광스럽습니다.

저 또한 보이지 않는 곳에서 김천의료원의 성실하고

정직한 일꾼이 되도록 온 마음과 정성을 다해

환자들을 돌보도록 하겠습니다. 앞으로 따뜻해질

봄날에, 만개하는 꽃잎들처럼 원장님과 저희

김천의료원도 꽃길만 걷길 기도하겠습니다. 항상 건강하세요.

사랑합니다 원장님♥

42병동 박ㅇ진 간호사

성실하고 정직한 일꾼이 되도록 온 마음과 정성을 다해 환자들을 돌보도록 하겠다는 다짐, 저도 하겠습니다. 정직이야말로 말로는 쉽지만 지키기가 얼마나 어려운지 압니다. 잘 알다시피 그래서 관리자들의 말 수가 점점 줄어들어가는 것을 느끼셨지요?

입술 밖으로 나온 말은 이미 날개를 달고 나에게 속해 있었던 과거를 잊고 다른 사람의 것으로 갈아타기 명수들입니다. 지켜지지 않을 때는 가장 날카로운 독이 되어 가슴을 헤집는 잔인한 말이 되어 견디기 힘든 상황까지 가지요.

방송에서도 보셨겠지만 유명인도 하루아침에 헛말로 사라지는 것을 보았을 것입니다. 공인은 말과 행동에서도 모범을 보여야 하고 지켜야 합니다. 400명 직원들이 나의 작은 목소리에도 귀 기울이고 민감해 하는 것을 볼 때마다 더욱 뼈저리게 느낍니다. 직원도 이렇게 열심인데 저도 열심히 해보죠. 나의 결심이 되었네요. 감사합니다.

Dear. 존경하는 원장님께 ♥
앞으로도 계속 저희와 함께해 주셔서
무한한 감사 인사 드립니다.
월례회 때 말씀하신 이후로 감히 바라고 있던
일이었고 바라던 대로 되리라 의심치 않았
습니다. 원장님께서 오신 이후로 저희에겐 참
좋은 일들, 감사한 일들이 많았지요♥
늘 감사한 마음으로 제 위치에서 열심히
일하는 직원이 되겠습니다.
새해에도 복 많이 받으시고요.
항상 건강만 하십시요!
올 한해에도 읏쌰~읏쌰! 힘내서 일하겠습니다.
다시 한번 축하드리며, 감사합니다.

- 나2병동 박○선 간호사 드림.

42병동 박ㅇ선 간호사

자신의 위치에서 최선을 다하는 모습을 여러 차례 보았지요. 후배 간호사들도 잘 챙기시는 것도 너무 보기 좋았어요. 하루에도 수 없이 살아있음을 감사하면서 살지만 늘 잊지요. 그러게요. 우리 언제나 오늘 이 순간들을 감사하면서 살아요.

제가 아무리 열심히 하고 싶어도 건강하지 못하면 이곳에서 일할 기회가 주어지지 않았겠죠? 다 우리 직원들 만날 운명이었나 봅니다. 자주 만날 수는 없어도 어떤 환경에서 일하고 있는지는 알고 있지요. 좀 더 직원 복지가 좋아질 수 있도록 노력하겠습니다.

인력을 더 충원해서라도 쉬고 싶을 때 가족과 함께 휴가라도 다녀올 수 있는 그런 환경을 만들어 봐요. 으쌰 으쌰 하는 분위기면 뭔들 못하겠어요? 예전보다도 의료진들이 많아져서 일하기가 더 힘들어지고, 환자분들도 하도 똑똑하셔서 질문들도 만만치 않지요. 42병동에서 오는 민원인들은 별로 없지만 거의 비슷하겠죠. 들어주지 않으면 잘 못되었다며 떼를 부리는 그런 분들이 있어도 그동안의 노하우로 커버 가능하시죠? 안 되면 저에게 콜 하세요.

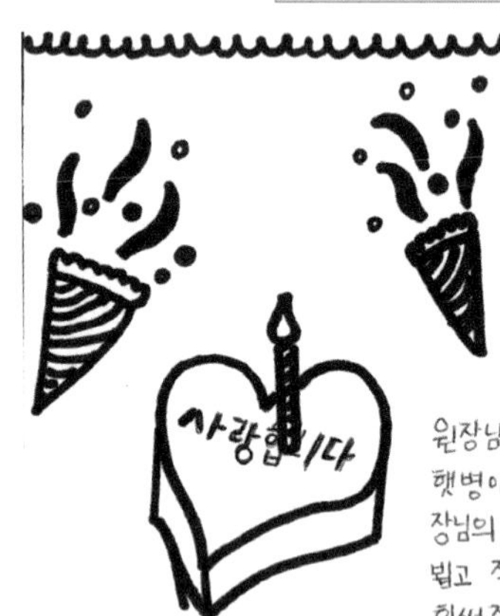

원장님 안녕하십니까. 저는 올해 김천 의료원에 입사한 햇병아리 신규 간호사 장○영이라고 합니다. 먼저 원장님의 3년 재임을 진심으로 축하드립니다. 원장님을 뵙고 직접 인사드린 적은 없지만 김천의료원을 위해 항상 힘써주시는 원장님에 대한 말씀은 익히 들어 잘알고 있습니다. 저는 올해 신규로 입사해 아직 배울 것도 많고 실수도 많습니다. 그러나 김천의료원의 간호사라는 자부심을 잃지 않고 항상 낮은 자세로 배우려는 마음가짐을 갖추고 전진하고 또 노력하는 간호사가 되어 김천 의료원을 위해 열심히 일하겠습니다. 다시 한번 3년 재임을 진심으로 축하드립니다♡ 원장님 사랑합니다 ♡♡♡♡♡

신규간호사
42w 장○영 올림

42병동 햇병아리 장ㅇ영 간호사

예쁜 케익과 달콤한 아이스크림 그림과 함께 읽기 쉬운 필체가 마음에 듭니다. 일도 그렇게 하시지요. 아직 배울 것도 많고 실수가 많아도 조금만 있으면 눈 감고도 잘할 것입니다. 어려운 환자를 돌보는 직업은 아무나 할 수 있는 일은 아닙니다.

간호사는 의사 못지않게 환자들에게 존경과 사랑을 받는 직업이지요. 아는 게 힘이 되듯이 자부심을 가지려면 일단은 부지런히 업무를 숙지하고 오답 노트를 만들어 다시 틀리지 않도록 해야지요.

겸손한 사람을 싫어하는 사람은 아무도 없지요. 겸손과 배려로 낮은 자세로 임한다면 더 배울 게 없을 겁니다. 하트를 6개나 보내 주셨네요. 감사합니다.

햇병아리가 글은 아주 노련합니다.

원장님께...

좋은 소식으로 이렇게
인사를 드리게 되어 기분이
좋은 하루입니다.
재임 진심으로 축하드
립니다.
원장님 덕분에 얼마나
많은 사람들이 행복해
하며...

편안한 마음으로 걱정없이
일할수 있는지.. 몰라요.
병원에 계시는 것만으로도
힘이 됩니다.
늘 웃는 모습의 원장님...
힘이 되어 주셔서 감사합니다.

72병동
이○미 드림.

32병동 이ㅇ미 간호사

기분 좋은 하루입니다. 저 때문에 행복한 사람이 많아지는 것은 제가 진짜 바라는 최종의 인생의 목표입니다. 저를 너무 믿고 계시는 것은 아닌지 점검 부탁드려야겠어요. 편안함을 줄 수 있다면 그것도 최고고 걱정 없다고 하는 것도 나무랄 데 없는 최고인데 제가 그렇게 할 수 있을까요?

재임을 했다는 것이 이 글을 보니 한 자 한 자 적는 동안 부담감이 확 밀려오네요.

웃어서 힘이 되신다면 전 언제나 웃어드릴 수 있습니다. 저도 한 때는 제 자신도 알아보지 못할 만큼 형편없는 우거지상을 하고 다녔죠. 그렇게 못난 얼굴인지 몰랐네요. 그래서 어느 날 거울을 보고 웃는 연습을 많이 했지요. 웃어서 행복한지 행복해서 웃었는지는 모르지만 많이 웃은 다음부터는 좋은 일이 많이 생겼어요.

미소가 아름답다는 얘기가 최고의 칭찬입니다. 환자들에게도 최고의 선물을 드립시다. 우리가 가지고 있는 것들 중에서 가장 값비싼 것은 웃음이라는 걸 잊지 마세요.

앞으로도 원장님과 함께 할수
있다는 생각을 하니 기대감에
가슴이 뜨겁고 설레는
마음을 감출수가 없습니다.
김천의료원의 새로운 역사의
한 페이지를 정의롭고 따뜻한

가슴을 지닌 진짜 실력파
원장님께서 장식하리라.
믿어 의심치 않습니다.
고맙습니다.
감사합니다.
사랑합니다.

강 ○연 올림.

32병동 강○연 수간호사

직원들이 저에게 해주는 가장 큰 선물을 한 보따리 가지고 오셨네요. 누가 기획을 했는지 모르지만 센스가 만점입니다. 재임을 하는 것이 잘하는 것인지 모르겠습니다. 기대감으로 가슴이 뜨거운 만큼 저는 어깨가 무거워서 힘듭니다.

직원들과 함께 할 때 김천의료원이 더 한층 도약하여 새로운 역사를 쓰지 싶습니다. '고맙습니다. 감사합니다. 사랑합니다.' 세상에서 좋은 말은 다 가져오셨네요. 말을 하다가 막히면 이 세 가지 말만 있어도 된다던데 바로 이것입니다. 서로에게 감사한 일만 합시다.

걸어온 길이 귀하여 아무데나 앉을 수도 없습니다. 마음이 편하지 않는 일은 처음부터 마음에 담지 않습니다. 필요도 하지 않는데 기웃거리지 않습니다. 위원장님께서 말씀하시지 않아도 제 자신이 더 어렵습니다. 저 자신을 속일 자신은 없습니다. 같이 노력해봅시다. 축하해주셔서 감사합니다.

To. 김미경 원장님께.

원장님 연임하게 되신것을
축하 드립니다.
도의원님들의 억지 같은 질문들
들으면서 원장님 고생하시는것을
조금이나마 더 알게 되었습니다.
감사 합니다 힘내세요 화이팅!

영상의학과 남○수 올림.

영상의학과 남○수

약간의 오해가 있는 듯합니다.

도의원님께서 억지 같은 질문을 하지 않습니다. 누구나 전문적인 지식이 없다면 그렇게 하실 수 있다고 봅니다. 잘 이해시켜서 우리 의료원을 제대로 이해하실 수 있도록 하는 것이 제일입니다.

늦은 밤 일 하시느라 고생 많으십니다. 의료원에는 근무환경이 복잡하지요. 24시간을 근무 형태에서 누구는 낮에, 어떤 분은 밤에 근무를 하다보니 똑같이 대우하기가 어렵습니다. 동일한 근무조건이 되지 못하니 좀 더 배려를 해줘야 하는 부서들이 있지요. 평생을 근무하시니까 언제든 기회는 올 것입니다.

좋은 일자리가 많아야 의료전문직들이 일할 기회가 많은데 그렇지 못합니다. 그나마 의료원에서는 새로운 사업들이 본격적으로 시작하면서 다양한 직종들이 일할 기회가 많아져서 다행입니다.

♥ 원장님의 재임을 축하드립니다
원장님은 ...
저희들의 아픔을 달래주는 진통제고
무수히 일어나는 어려움을 무찔러주는
항생제고
우리들의 삶을 건강하게 해주시는
영양제 입니다.
부족하지만 늘 원장님을 따르겠습니다.
너무 행복합니다 ^^

진단검사의학과 강○선

진단검사의학과 강ㅇ선

진통제---아픔을 달래줘서

항생제---어려움을 무찔러 주는

영양제---삶을 건강하게 해주는

제가 종합비타민이 되었는지 몰랐습니다. 만병통치약이 되었는지도 몰랐습니다.

늘 열심히 일하시는 줄 압니다. 의료원을 얼마나 사랑하고 계시는 줄 압니다. 고심하시면서 적은 것은 더 열심히 일해 주십사하고 느끼겠습니다.

왕창 부담은 되지만 이 정도는 견뎌야 되지 않겠습니까?

별난 직원들이 참 많네요. 지난 시간들이 얼마나 힘들었는지 제가 느끼는 것보다 더 심한 모양입니다. 월급은 당연히 드리는 겁니다. 우리 직원들처럼 고맙게 받는다면 모든 관리자들은 기분이 나쁘지 않겠습니다. 일할 만합니다.

추운겨울이 가고 화사한 봄이 오는 시기에
원장님의 재취임 소식까지 전해져
마음이 따뜻해지는 날들입니다.

원장님과 다시 함께 할 수 있음에 감사하고
원장님의 리더십으로 우리 의료원이 더욱 성장 할
수 있을 거란 생각에 기쁩니다.

앞으로도 많은 지도편달 부탁드립니다!!
사랑합니다 ~ *^*

-감염관리실 박 희 올림-

감염관리실 박ㅇ희

제가 좋은 소식에 속해서 감사합니다. 혼자 잘 하실 수 있는데 괜히 제가 또 오지랖일까요? 네이버 사전에 지도편달이란 뜻을 찾아보았습니다. '바른 길로 가도록 가르쳐 이끌며 경계하고 격려함'이라고 나와 있네요. 자세히 들여다보니 참 좋은 말입니다. 자주 오셔야겠어요. 워낙 깔끔하게 일하시는 편이라 조금만 더 알게 되면 아마도 따라올 자가 없을 겁니다.

감염병은 통계를 조금 공부해두시는 게 도움이 될 것입니다. 앞으로 의료원에서 가장 중요하게 다루어질 업무가 병원 내 감염이 아닐까 생각됩니다.

원장님!! 재임을 축하드립니다.
항상 건강하게 저희 직원들과
동고동락하며 많은 추억들을 만들고
행복한 의료원을 만들어 주시기를
기대합니다.
2018년 호스피스병동 OPEN과
여러 사안들도 잘 준비하여
의료원 발전에 최선을 다하겠습니다.

32병동 수간호사 황◯순 올림

32병동 황ㅇ순 수간호사

많은 추억과 행복한 의료원을 만들어 주라고 하셨는데 혼자서는 힘들겠죠? 같이 하신다면 뭐든 가능하지 싶은데 노력합시다.

호스피스 병동은 건물을 증축하면서 새롭게 오픈하여 김천시민들이 지역의료기관에서 호스피스에 대한 서비스를 제공받기를 간절히 바라는 서비스이므로 열심히 준비한 만큼 만족도를 높일 수 있으리라 생각합니다.

말기암 환자들이 서울이나 인근 대학병원에서 임종을 맞이하면서 가족들이나 환자에게도 어려움이 많았습니다. 사전 준비가 많이 필요함으로 세심하게 준비하여 새로운 사업이 조기에 정착될 수 있도록 노력하여야 합니다.

조직개편이나 인력배치에도 신경을 많이 써야 제대로 사업이 진행될 수 있으리라 생각합니다. 그동안 호스피스 교육을 내과의사와 간호사가 전부 이수하였으므로 추가 필요한 부분은 설문조사를 통해 더 심화교육으로 나아가는 것도 좋을 듯합니다. 처음 시작하는 만큼 세미나를 개최하여 사업을 추진하는 다른 병원과도 연계를 하여 정보도 교환하고 인력에 대한 자문도 받아보는 게 좋을 듯합니다.

항상 행복하시고  건강하세요 원장님

원장님에게.

안녕하십니까. 42병동에서 교육중인 신규간호사 김○현입니다.
처음 병원에 입사하던날은 눈발이 날리던 추운겨울이였습니다.
4년동안 기대하며 준비해오던 간호사로서의 첫 병원이
김천의료원이라는 것에 항상 감사하며 겸손한 배움의 자세로
원장님과 여러 간부님들이 잘 만들어주신 환경에서 열심히
배우겠습니다. 원장님의 3년 재임을 진심으로 축하드립니다.
입사 후 원장님을 만나뵈어 인사를 드리진 못했지만,
김천의료원을 위해서 항상 힘쓰시고 환자, 보호자 분들을 위해
애쓰신다는 것은 유명한 명성을 익히들어서 잘알고있습니다.
저역시 김천의료원, 환자, 지역사회그리고 저를 위하여
온정성을 다해 노력하겠습니다. 사랑합니다.

42병동 김ㅇ현 간호사

신규간호사의 멋진 축하카드를 받았네요. 감사합니다. 너무 깔끔한 글씨가 마음에 듭니다. 새로운 직장생활 슬기롭게 잘 적응하여 평생직장이 되도록 해보세요.

지역사회에서 공공지방의료원이 가지는 역할에 대해서 관심을 가지고 꾸준히 노력하여 그 위상을 높이는 데 적극적인 자세로 뭐든 습득해 간다면 가장 멋진 직원이 되지 않겠습니까?

매년 신규 직원 연수 때 보니까 젊은 직원들이 뭐든 잘 하던데 공부도 잘 하고 컴퓨터도 잘 다루고 일 할 조건들은 다 갖추었는데 환자에 대한 부분만 미숙하더군요. 환자는 상처만 보지 말고 아픔을 가지고 있는 한 인간임을 잊어서는 안 됩니다. 우리 아버지일 수도 있고, 삼촌 언니 동생일 수도 있습니다. 따뜻하게 어루만져줄 줄 아는 멋진 직원이 되시길 바랍니다.

일 하면서 견디기 힘든 순간들이 분명이 있겠죠. 그럴 때마다 꿈을 잊어버리지 않으면 언젠가는 그 곳까지 시간이 데려다 준다는 것을 잊으면 안 됩니다. 잠시 지체 할 수는 있어도 방향을 잃지 않으면 목적한 그 곳으로 가는 것이 시간의 문제임을 분명히 가슴에 담아두기 바랍니다.

원장님 ~♡

기쁜소식에 무척 반가운 마음입니다 ^^

원장님~ 재임을 진심으로 축하드립니다.

오랫동안 경영에 임해 오시면서

쌓은 경험과 덕행으로 더욱 빛나는

김천요양원이 되길 바랍니다..

사랑합니다. 저희 원장님이

되어주셔서 감사합니다.

CHEER UP

<3내 공○연>

31병동 송ㅇ연 간호사

경험은 안목을 높여 주고 무슨 일을 하던지 자신감을 심어주지요.

책을 읽는 것은 간접 경험이고, 여행은 직접 경험이라고 보면 됩니다. 어디든 자주 가족들과 다니시면서 저처럼 세상구경 많이 하시기를 바랍니다. 좋은 일도 많이 하라는 것도 명심해야겠어요.

김천의료원은 제 혼자만의 이름이 아님을 절감할 때가 많습니다. 그동안 수많은 어려움 속에서도 최선을 다한 덕택에 시민들의 사랑을 피부로 느낍니다.

귀여운 그림은 아기얼굴을 닮았네요. 들고 있는 것이 선물로 줄 과자인가요? 표현하고자 하는 것들을 다 그려놓았네요.

김미정 원장님께

원장님 안녕하세요. 그 동안
김천의료원의 발전과 직원들의
복지증진을 위해서 몸을 아끼지
않으시고 참된 리더로서의 본보기가
되어 주셔서 자랑스럽습니다.
이번에 재취임 되신것을 진심으로
축하드립니다.

저희 직원들에게는. 아주 큰 축복
입니다. 앞으로 3년이라는 세월을
함께 보낼수 있게 되어서 행복합니다.
일전에 다리부상으로 입원하셨을때 표현은
못드렸지만 많이 걱정되었습니다.
항상 건강하셨으면 좋겠습니다.

물리치료사 전○우 올림

물리치료사 전○우

재활치료센터에도 많은 후배들이 들어왔지요.

넓고 쾌적한 공간을 확보하여 환자분들에게 최적의 운동 공간을 드린다는 것이 힘들었는데 실장님의 애쓴 보람으로 이제는 자리를 잡아가고 있네요. 모든 분들이 최선을 다하는 모습이 너무 멋있고 좋습니다.

지난해 제가 다리가 부러져서 고생을 좀 했지요. 걱정을 하셨다니 미안합니다. 건강을 잘 관리 하는 것도 일의 연장만큼이나 중요한 문제임을 잊지 않겠습니다. 저 자신도 건강에 대한 별 걱정 없이 살았는데 사고 이후 많은 조심을 하고 있습니다. 아파봐야 걱정이란 것을 하니 좀 무디기도 합니다.

직원들이 편안한 마음으로 충실하게 일하는 분위기를 만들어 준다면 그게 참된 리더가 되는 길이 아닌가요? 어렵고 힘든 일이 닥칠 때는 제가 먼저 나가서 애써보겠습니다. 김천의료원의 미래가 젊은 우리 직원들 덕에 더 밝아 보입니다.

원장님 ♥♥♥

전 직원들이 일할맛

나게 병원 환경과 직무환경.

급여수준. 모든것을 잘 경영

해 주셔서 감사 합니다.

재임을 너무너무 축하드립니다.

정○하 올림.

중환자실 수간호사 정ㅇ화

살아가면서 나의 얼굴을 그려줄 수 있는 분이 몇이나 될까요?

볼펜으로 뚜렷하게 투 톤으로 그린 그림을 받아 본 사람은 아마도 제가 처음이겠지요. 나의 특징을 제대로 잡아낸 그림임에 틀림이 없네요. 강렬한 눈빛을 옮겨다 놓으셨고, 볼록한 빰을 빨간 볼펜으로 물결무늬로, 분홍색 홍조를 띄고 있는 갱년기 중년의 모습을 잘 잡아 놓은 그림입니다. 거기에다 점으로 찍기보다 크게 이름을 써 넣기 위해 하트를 넣은 공간의 그림은 충분히 소리를 그림으로 표현한 듯 느낌이 듭니다. 일할 맛을 느끼신 듯 그 열정으로 그림을 멋지게 완성하셨네요. 감사합니다.

좋은 환경에서 어렵고 힘든 환자분들에게 가장 잘 치료해주는 따뜻한 공공의료를 실천하는 의료원이 되고 싶습니다. 직원들이 행복해야 환자들이 행복하지 않겠어요? 중환자실 일도 어렵고 고달픈데 열심히 하시는 모습 보기 좋습니다.

나의 일은 경영이니 신경 써서 잘 하겠습니다.

CONGRATU-LATIONS

원장님~♡ 안녕하세요!

41병동 간호사 이○화 입니다.

원장님의 재임을 무지무지 축하드립니다.

앞으로도 원장님과 함께 하게되어서 너무영광입니다.

항상 저희들 먼저 생각해주시는 원장님~♡

앞으로도 잘부탁드립니다. 원장님 기대에 저버리지않게 열심히 할게요!

원장님! 새해복 많이 받으시고 건강챙기세요~♡

사랑합니다 ㅎㅎ♡ - 41병동 이○화 올림 -

41병동 이ㅇ화 간호사

나의 재임 축하카드가 자신의 결심카드라는 생각이 듭니다.

우리 의료원이 다른 의료원에 비해 잘 되는 비결이 있다면 먼저 잘 하는 직원이 많다는 사실입니다. 누가 하라 해서 하는 것보다 말하지 않았는데도 솔선수범하는 모범생이 정말 많다는 것이 앞서가는 의료원의 숨은 비결이라는 것을 밝힙니다.

한 사람의 의료원장이 해봐야 뭘 그리 대단히 할 수 있겠습니까? 누구랄 것 없이 작은 한부분도 놓치지 않는 멋진 직원들이 포진해 있는 일하는 현장이 이토록 탄탄한데 우리에게 어떤 어려움이 닥친다 해도 겁날 게 없습니다.

열심히 하는 직원들이 흔들리지 않고 최선을 다한다면 시간을 가지고 천천히 경영에만 집중한다면 어려울 게 없죠. 사고나 치고 기관장의 정신을 혼을 쑥 빼고 한다면 사기도 떨어지고 지금 여기서 뭐하나 자책하면서 애정도 떨어져 그런 조직은 조금씩 무너지고 말겠지요.

비록 속도는 좀 느려도 전 직원이 한 방향을 바라보면서 천천히 걸어가고 있는데 목표에 도달하는 것은 시간의 문제이지 다른 문제는 하나도 없습니다. 성과를 위해 조급하게 다그치는 그런 상사가 되고 싶지 않습니다. 멋진 직원들이 많아서 행복합니다.

안녕하십니까? "원장님"

42병동 근무중인 조○희 간호사라고 합니다.
저마 벌써 원장님과 2년째 함께 근무를
하고 있습니다. 너무나 큰 영광입니다^^
항상 직원들을 생각하며 영화. 회식. 교육등
매번 재미있고 챙겨주셔서 감사합니다.
저는 아직도 매년 여름에 가는 1박2일 연수
가 너무 나도 기억에 생생하게 남습니다.
이번 연수도 너무 기대되며 또 어떤 교육을
들으며 직원들의 사기를 항상 시킬지 기대됩니다.
매번 원장님에 노고에 감사드리며 이번

'재임'을 진심으로 축하드립니다.
또 다시 원장님과 함께 할
생각에 제 가슴은 '두근두근' 입니다.
항상 모든지 최선을 다하시며 열정적인
원장님과 다시 시작이 아닌 계속 쭉
이어갈수 있는 영광을 주셔서 감사합니다.
2018년 새해 복 많이 받으시고
항상 고맙고 사랑합니다!!

- 42 병동 조○희 올림 -

'Happy!!'

42병동 손ㅇ희 간호사

재임이라는 단어를 다른 글씨보다 세 배나 크게 쓰신 것은 세 배나 좋다는 의미로 받아들여도 좋겠습니까? 별표를 그린 것도 평소에 환자분들께 하시던 그 애교를 이곳에다 옮겨 놓은 것인가요? 눈이 하트로 표시되는 것도 처음 봤네요.

42병동이 밝은 이유가 막둥이처럼 애교가 많은 간호사 분들이 섞여 있어서 과장님들께서도 한 번씩 웃으시면서 환자를 보시는가 봅니다.

환자를 보살피는 간호사들이 영화도 많이 보고 새로운 곳으로 여행도 많이 가야합니다. 오래 이런 일을 하려면 자신을 잘 보살펴야 됩니다. 자기에게 주는 선물을 자주 만들어 보세요. 연수 기회도 많이 만들어서 함께 가도록 하겠습니다. 많이 참석만 해주신다면 어떤 프로그램도 좋으니까 건의 해주세요. 맞춤형으로 만들어봅시다.

근무 시간이 다양하여 이런 기회라야 서로 얼굴을 볼 수 있으니 소통의 장을 여는 데 노력하겠습니다. 화합의 자리도 제공하겠습니다.

안녕하십니까 원장님

32병동 막내 윤○지 입니다 ♡

원장님 재취임 하시는걸 진심으로 축하드립니다.

"위대한 이들은 목적을 갖고, 그 외의 사람들은
소원을 갖는다" 라는 워싱턴 어빙의
명언이 있습니다.

이 명언처럼 원장님은 목적을 갖고 열심히
노력하신 결과 목적을 이루고 성공 하신 분이
라 알려드리고 싶었습니다.

원장님 앞으로도 열심히 노력하고 일하는
막내가 되도록 하겠습니다 ♡

항상 감사합니다!!

열심히 하겠습니다 ♡

32병동 막내 윤○지 올림.

32병동 막내 윤ㅇ지 간호사

성공하셨다고 알려주신 분이 있어서 행복합니다.

좋은 글귀를 함께 읽게 되어 행복합니다. 나의 노력의 결과가 많은 김천시민이나 환자분, 우리 직원들이 행복하다면 진정으로 성공한 것이 맞지만 그 자리에 앉았다고 행복한 것은 절대 아닙니다. 진심으로 축하를 받을 수 있게 노력하겠습니다.

워싱턴 어빙의 말처럼 우리도 진정한 목적을 가진다면 시간을 허투루 사용하지 말고 귀하게 사용하여 많은 것을 이룹시다.

환자분들에게 따뜻한 미소, 친절한 말, 진정한 배려의 말을 하기는 쉬워도 실천하기가 얼마나 어려운지 모르시지요. 가슴에 달고 있는 미소처럼 우리도 노력합시다. 새로운 지식을 배우는 것도 게을리 해서는 안 됩니다.

살아가면서 수많은 선택의 기로에 서게 됩니다. 누군가는 기회를 가지고 또 누군가는 하고 싶어도 아무런 기회조차 가지지 못합니다. 평소에 새롭게 주어지는 일을 너무 두렵게 생각하지 말고 긍정적인 자세로 배워두는 것으로 한다면 언젠가는 다 요긴하게 써 먹을 기회가 됩니다.

To. 사랑하는 원장님

안녕하십니까. 저는 32병동

5년차 간호사 윤○나 입니다.

일단 원장님 재취임 진심으로 축하

드립니다.

병원을 위해 밤낮으로 힘써주시는

원장님. 항상 긍정파워와 밝은 미소가

저희 직원에게 전해집니다 ^^..

새해복 많이 받으시구요. 건강하세요.

좋은 일만 가득하길 바랍니다 ^^

32병동 윤ㅇ나 간호사

5년 차 간호사가 되었다면 어느 정도는 우리 의료원에서 자리를 잡았다고 봐도 되겠습니다. 중간 간호사들이 튼튼하게 배치되어 있어야 의료원의 미래가 밝습니다. 공공의료는 의료수익을 창출하는 것 못지않게 저소득층이나 임산부, 노인 등 다양하게 지역사회 의료사각지대에 놓여 있는 많은 분들에 대한 관심을 가져야 합니다. 의료의 접근성이 현저히 떨어지는 분들을 위한 공공의료사업을 많이 준비하고 있는데 그 사업의 핵심 축은 간호사입니다. 중간에서 새내기 간호사들에게 많은 정보를 나눠주고 다양하게 적응할 수 있도록 관심 부탁드립니다.

새내기들은 자기의사가 분명하고 자신의 의견을 존중 받기를 원하지요. 선배 간호사분들은 자신들이 일할 때의 지독한 전통들을 물려주려 할 때 낀 세대들은 참 힘이 듭니다. 누구나 할 것 없이 어려움 없이 사는 사람은 없다고 봐야죠. 용기 가지고 대화하면 말 안 되는 사람이 없지요.

건강한 조직이 되려면 서로가 노력하지 않고서는 힘들다고 생각합니다. 양보와 배려가 많은 약이 되지요. 언제나 물러서라고 하는 말은 아닙니다. 이기는 싸움은 끝까지 해야죠. 명분을 잘 찾아 나만의 설득방법을 가지고 열심히 노력해 봐요.

원장님!
원장님 덕분에 제가 김천의료원 직원이
라는 것이 자랑스럽습니다.
원장님 뒤에는 300여명의 든든한 직원이
있다는 것을 기억해 주세요!
당당하고 멋진 원장님!
존경합니다. 감사합니다.

진단검사의학과 권○주

진단검사의학과 정ㅇ주

자기가 다니는 직장이 자랑스럽다고 생각하신다면 당신은 정말 행복하신 분입니다.

불합리한 부분으로 가슴이 답답했는데 사이다 같은 결정으로 시원하게 해드린 것입니까?

일 안하고 승진기회를 엿보는 분들 때문에 화나고 속상했는데 정말 열심히 일하시는 분이 승진을 하시기라도 하신 겁니까?

다른 친구들이 다니는 병원은 힘들어 사직을 고려하는데 의료원은 경영을 탄탄하게 해서 월급이라도 올려주셨습니까?

지저분하고 시설이 낡았어도 보고만 있었는데 어느 날 출근하니까 너무나 깔끔하게 인테리어가 되어 있어 마음에 쏙 들게 된 것입니까?

새로운 것을 한 번 해보고 싶어도 이 핑계 저 핑계로 빠져나갔는데 시원하게 시도해보라고 자극이라도 받으신 겁니까?

직원들이 함께 열심히 해서 이 정도 환경을 만들 수 있게 되었습니다. 자신 때문에 자랑스러운 것입니다.

원장님!

언제나 처음처럼 변함없는 마음으로
저희 직원 한사람 한사람 에게
애정을 쏟아 주었던 원장님!
또 한번 저희 직원들 에게 기회를
허락해 주심에 감사합니다
열정의 능력자 이신 원장님!
저희와 함께 해주셔서
감사합니다 그리고
사랑합니다.

- 공○희 올림 -

31병동 수간호사 공ㅇ희

처음처럼! 참 좋은 말입니다. 변하지 않는 것은 없지만 사랑만은 변치 않아야지요.

시한부 인생을 사는 사람이 그토록 살고 싶어 하던 내일을 우리는 살고 있지요. 그냥 보내기에는 너무나 아까운 시간을 앞에 두고 망설이고 소비하는 것을 볼 때 늘 분발합니다.

3년이라는 한시적인 시간을 받아 쥔 사람은 하루를 꽉 채우고 싶지 않겠어요? 후회하고 싶지 않습니다. 시간이 지나서 그 때 시도해 볼 걸 후회 한다면 너무 한심한 소리죠. 그래서 전 열정이라는 무기를 장착하고 앞으로 나가는 거지요. 운 좋게도 10년을 근무해도 해보지 못할 많은 일들을 하면서 얼마나 가슴 뿌듯하게 했는지 모릅니다.

건물을 완공하고 호스피스병동을 개설하고 재활센터를 개설하고 재활병동을 늘리고, 처음으로 정신과도 개설해서 노인들의 정신문제도 해결하는 실마리를 마련하는 계기가 되었습니다. 14명의 의료진이 더 오신 것을 보면 우리의료원도 종합병원으로서의 규모가 상당해졌어요. 앞으로도 더 발전하겠죠.

우리작가님 연애 축하드립니다 ^^
못 한대도 잘 부탁드립니다~
건강하시고 새해 복 많이
받으세요 ~~ ^^

—31번독○정가희—

31병동 이ㅇ정 간호사

예쁜 토끼가 당근을 한아름 들고 있는 그림을 그려서 보냈네요.

당근은 무엇을 의미하는지를 생각해보았지요. 하트와 함께 많은 사랑을 보내 달라는 의미가 내포되어 있는 것인가요? 좋은 것은 다 여러분에게 보내드리도록 하겠습니다.

가장 큰 병동이어서 많은 환자분들이 드나드는 곳이라 민원도 상당하죠? 아픈 사람들은 자기 자신밖에 안 보입니다. 남의 아픔은 보이지 않아도 자기 손톱 밑에 가시가 제일 아픈 것입니다. 짜증을 받아주다 보면 자신이 한심해지기도 합니다. 환자를 잘 이해하면서 자신이 너무 휘둘리지 않게 하는 것도 중요합니다. 우리도 환자의 상처만 보지 말고 상처를 가지고 있는 환자분의 모든 것을 보도록 노력해봅시다.

입원한 환자분들을 둘러보기 위해 뛰어다니는 발자국 소리를 들으며 많이 힘들겠구나 하고 느꼈지요. 신발이라도 하나 사드리고 싶습니다.

Congratulations!

3년동안 감사했습니다. 원장님~
앞으로의 3년도 빛의 속도로
지나가겠지만 성장하고 발전하는
김천의료원과 함께 하시길
바랍니다.
항상 건강! 건강! 건강!
하세요♡
재임을 진심으로 축하드립니다.

31병동 조○희

31병동 조ㅇ희 간호사

항상 건강! 건강! 건강! 을 강조하시는 것은 당연한 말씀입니다.

건강하지 못했다면 다시는 보지 못했을 것입니다. 수많은 사람을 만나면서 느끼는 것이지만 건강만은 자신할 수 없다는 것을 알았죠. 잘 태어난 것만으로도 부모님께 감사드려야 합니다. 아름답게 태어난 것은 행운입니다.

지난 연수 때 젊은 직원들과 이야기 할 기회가 있었습니다. 가장 근무하고 싶은 직장이 성장하고 있는 곳이랍니다. 우리 의료원이 바로 그런 병원이라고 합디다. 성장하고 발전하는 병원에서 열심히 하시겠다는 말씀 꼭 기억하겠습니다.

중간 간부급 간호사들의 역할이 어느 때 보다도 중요한 때입니다. 한 조직에 가장 많은 직원이 간호사입니다. 의료원을 대표한다고 해도 과언은 아니지요. 누구보다도 병원을 생각하는 마음을 가져주시고, 후배들을 잘 가르쳐서 미래를 준비하는 것도 아주 중요한 일입니다.

그 모든 것을 이루기 위해서 가장 우선 되어야 하는 것이 직원들의 안전과 건강임을 강조합니다.

존경하는 원장님께 ♡

원장님~ 재임 진심으로 축하드립니다~

앞으로도 원장님의 밝은 이끄를

뵐수 있다니 너무나 좋습니다 ♡

원장님이 오시고 많은 발전이 있었지요~

누가 되지않게 앞으로 열심히 뛰어

다니겠습니다 >_<!!

사랑합니당~♡

- 31W 간호사 이○영 올림 -

31병동 이ㅇ영 간호사

나보다 더 밝은 미소를 가지고 있는 분이 아니신가요?

너무 뛰어 다니시는 것은 아닌가요?

복잡한 일들도 보이지 않게 잘 처리하는 비결은 무엇이지요?

아마도 유머가 있어서 그렇지 않습니까?

환한 미소로 직원들을 만나려고 노력합니다.

환자들이나 직원들이 지나칠 정도의 무례함이 느껴지는 말을 건네 올 때면 언제나 유머를 합니다. 엉성하고 황당할 때 유머만큼 분위기를 바꿔주는 것은 없지요. 때로는 바보스러워도 그것이 훨씬 분위기를 좋게 해주는 것 같아요. 웃음에는 마약성분이 있나봅니다.

원장님께.

김천의료원 발전을 위해서 꼭 필요한

미래 청사진과 헌신을 가지신 원장님
이시기에

경사스러운 원장님 재임을
진심으로 축하드립니다.

- 주○혜 드림 -

총무과 주ㅇ혜

미래의 청사진이라고 해서 순간 당황하였습니다. 지금부터라도 청사진을 만들어서 내일을 준비하는 의료원을 만들어 보아야겠지요. 아이디어가 넘쳐나도 현실적인 대안을 가지지 못한다면 서류 속에 갇힌 꿈에 불과하네요. 그 동안 투자한 시설을 잘 운영하는 계획을 세워서 좋은 의료진을 보강해서 내실을 꾸려가는 것이 중요하겠지요.

서로 오고 싶은 병원이 된다는 의미는 그래도 지역사회에서 존경과 사랑을 받는 병원으로 자리를 잡아가고 있다는 의미입니다. 무엇보다도 중요한 것은 그동안 보여주었던 신뢰를 더 깊게 보여줄 수 있어야 한다는 것입니다. 시민들에게 더 다가갈 수 있도록 묘안을 짜야겠어요.

간호간병통합서비스, 호스피스병동 운영, 재활센터 운영, 치과 개설, 정신과 개설, 정형외과 증설 등 수없이 많은 일들이 눈앞에 펼쳐지네요. 공공지원의 활성화를 통해서 의료원과 지역사회가 잘 연계되어 진료를 못 받는 곳이 없도록 노력해야 겠네요. 헌신하도록 하겠습니다. 김천의료원만 생각하는 시간으로 3년을 채우겠습니다.

에필로그

나는 오랫동안 한 기관의 관리자로 일해 오면서 수많은 사람을 만나고 헤어짐 속에서 인간의 깊이를 가늠할 수 있었다. 실망을 했으나 아직 기대를 하게 만드는 사람들을 통해 삶이란 것을 터득하게 되었던 것 같다.

리더라는 사람도 많이 만나 보았다. 주어진 환경에 따라 변화되는 그들의 모습을 보면서 프로이드를 생각하게 되었다. 사람들을 움직이게 하는 힘이 무엇인지를 알려준 프로이드의 힌트, 사람은 환경의 지배에서 벗어날 수 없다는 것이었다.

폐허처럼 쓰러져 가는 의료원에 처음 왔을 때 건물보다도 사람들이 더 망가져 있었다. 복잡한 환경에서 다양한 사람들이 모여 사는 곳은 언제나 잡음이 끊이질 않았고 좌절은 그들 삶 속으로 파고들어 불신과 미움으로 변질되어 미래가 보이지 않았다.

한 순간도 그들에게서 눈을 떼보지 않았다. 보이는 것만 보지 않고 무엇이 그들을 그렇게 황폐하게 만들어 놓았는지 알아야 했다. 얽힌 감정들의 고리를 따라 밑뿌리를 파고 헤쳐 보니 실마리가 잡혔다. 있어야 할 게 없고 없어야 할 게 세 가지나 있었다. 불신. 불안. 미움.

이것을 걷어 내지 않고서는 그 어떤 것도 사상누각처럼 무너질 게 뻔

했다. 하고 싶어 하는 것을 하게 했고, 기다려 달라고 하면 인내심을 가지고 하염없이 기다려 주었다. 그들은 변하고 싶었고, 새로워지고 싶어 했지만 방법을 잘 몰랐을 뿐, 그들은 이제는 무엇이든 다 할 수 있는 사람으로 변했다. 내가 한 것이라면 그들 말대로 울타리를 쳐주고, 버팀목이 되어 주고, 어려운 것을 들어주었을 뿐이다.

우린 서로에게 필요한 사람으로 역할을 충실히 하였다. 직원을 섬기고 아끼겠다는 약속을 지켜나가는 것은 많은 노력과 인내가 필요했다. 직원들을 한 방향으로 바라보게 하며, 눈높이를 맞춰나가는 일은 그 한계를 시험하는 것처럼 수월하지 않았다. 우리는 함께 많은 것을 해내었고 스스로를 자랑스러워한다. 감사할 일이다. 감사야말로 불안과 두려움을 보내오는 운명의 여신에게 맞설 수 있는 인간의 가장 효과적인 무기라고 했던가!

내겐 꼭 하고 싶은 일이 있었다. 결코 평범하지 않고 순탄하지 않은 삶에 대한 도전과 살아온 시간들의 경험을 나누는 일이다. 육체적인 고통이 얼마나 적나라하게 한 인간을 변화시키는가에 대한 스토리만으로도 이미 한 권의 책 분량은 나올 것이라 생각하곤 했다. 그래서 매일 글을 한 편씩 쓰기로 했다.

고백하자면 무던히도 애쓰고 여러 차례 시도는 해보았지만 늘 도중에 멈추곤 했다. 세상에서 가장 어려운 일이 남의 주머니를 열게 하는 것이고, 또 하나는 남의 머리에다 다른 생각을 집어넣는 것이며, 글 쓰는 직업으로 돈을 버는 일이라고 하지 않던가! 물론 글을 써 돈을 벌겠다는 것은 아니었음에도 쉽지 않았다.

일상의 소소한 이야기도 적지 못하면서 책을 만들어 보겠다는 것이 너무 과한 욕심인 것 같다는 생각도 했다. 그럼에도 불구하고 욕심은 실행하게 하는 힘을 가진 듯하다. 살아야 한다는 이유를 가슴으로 받아들인 날, 그 이후로 난 단 한 번도 고민하지 않았다. 이가 없으면 잇몸으로 산다고 하지 않나. 고스란히 현재에 주어진 그대로 내 삶을 받아들였다.

나 하나의 작은 돌을 호수에 던져봐야 얼마나 많은 물결을 일렁일 수 있겠냐고 생각하기도 했었다. 그러나 살아있었고, 살아남아서 맞게 된 시간을 견뎌야 했고, 늘 오늘을 마지막 선물처럼 귀하게 아끼면서 살았다. 그러한 시간을 보낸 사람이 지켜야 했었던 삶에 대한 치열한 기록들을 전하고 싶어졌다.

평생을 남의 책을 읽는 것만으로도 행복했다. 한 인간의 감정을 들여다보고, 한 시대의 역사를 배우기도 했다. 그럼에도 꽉 찬 50년을 살아왔다는 것으로 자신의 글을 쓰는 작업은 그리 쉽지 않은 문제였다. 그건 당연했다. 나는 글을 쓰는 것을 직업으로 하는 작가가 아니니까...이리 생각을 하니 마음이 편해졌다.

공직에서 긴 시간을 보내고 지방의료원에서 5년을 보내면서 만나는 사람마다 역경을 딛고 어떻게 살아왔는지에 대한 끊임없는 관심과 질문에 당황할 때도 많았다. 잘 살아왔을 뿐인데 그것을 특별하게 생각하고 있다는 것은 왜일까. 내 인생의 나침판을 알고 싶다는 것일까?

그렇다면 세상 밖으로 나와 내 인생의 나침판은 무엇이었는지를 알려주는 것도 나쁘지 않는 일, 어떤 결정도 망설임 없이 순식간에 해낼 수 있는 용기와 그 결정의 결과들이 모여서 오늘의 나를 만들었으니, 그 과정을 진솔하게 풀어 놓은 것도 의미 있는 일이라 생각되었다.

글을 쓰는 것은 건축처럼 기초단계가 튼튼해야 하겠지. 일단 뼈대를 세우고 근육을 만들고 혈관과 신경조직을 섬세하게 그려 넣고, 마지막으로 활력이 넘치게 만들기 위한 고민이 따랐지만 그 뼈는 내가 살아온 틀일 것이며 근육은 삶의 방식일 것이고 혈관과 신경조직은 나의 철학일 것이라는 생각을 하니 금방 익숙해졌다.

지금의 나를 있게 만든 과거와 현재, 그리고 미래는 나의 사랑하는 가족과 관계 속의 사람들, 그리고 나의 동료들이 있었다. 내 인생의 풍경화 속에 모두 담아야 할 사람들…

이 사랑하는 사람들과 함께 엮어낸 시간들을 공감해 준다면 이 글을 쓴 기쁨이겠다.